JEAN CAU

LES CULOTTES COURTES

Le Pré aux Clercs

Si vous souhaitez recevoir notre catalogue
et être tenu au courant de nos publications,
envoyez vos nom et adresse, en citant ce livre,
aux Éditions Pierre Belfond,
216, Bd Saint-Germain, 75007 Paris.
Et pour le Canada à
Edipresse (1983) Inc., 5198, rue Saint-Hubert,
Montréal, Québec H2J 2Y3, Canada.

ISBN 2.7144.2126.1

Pour Tristan

L'enchanteur

L'enchanteur [1] on l'entendait moins, quand il annonçait les nouvelles, dans le village, mais on n'osait pas le lui dire parce que tout le monde l'aimait. Heureusement, un jour, il est allé lui-même voir le maire et lui a dit :

— J'ai encore de la voix, mais maintenant ce sont les mains qui s'en vont. Les rhumatismes, vous voyez.

— C'est que tu as bientôt quatre-vingts ans, Gaston.

— Soixante-dix-huit en novembre. Oh ! je suis encore solide. S'il n'y avait pas ces putains de rhumatismes...

Il montrait ses mains, toutes tordues. Des pattes. Des racines. Deux morceaux de souche.

— Je ne souffre pas mais j'arrive plus à tenir les baguettes du tambour. Elles me glissent des fois entre les doigts et, vous le savez, j'ai mon honneur. Parce que, le tambour, j'ai toujours aimé et, sans me vanter, qui en jouait mieux que moi ?

— Personne, Gaston. Ça, c'est vrai. Attends, on va prendre la goutte.

On a pris la goutte et Gaston a dit qu'il ne pouvait plus faire l'enchanteur à cause des rhumatismes mais qu'il y avait quelqu'un qui pourrait le remplacer.

— Ah ! Et qui c'est, Gaston ?

— Voilà, c'est Joseph.

— Quel Joseph ?

---

1. On appelait l'enchanteur (*encaïtaré*) celui qui, autrefois, annonçait les nouvelles locales dans les villages du Midi, en battant le tambour.

— Le mien. Mon petit.

Joseph, il a cinquante ans et fait un peu le cantonnier. Il est brave comme un sou mais un peu simple, à cause peut-être de son bec-de-lièvre, et aucune fille n'a jamais voulu se marier avec lui. Pourtant, il est grand et plus fort qu'une mule. Capable de porter deux sacs de blé, un sur chaque épaule, ou de tenir le cochon, quand on le tue, en se couchant dessus.

— Vous me direz qu'il parle pas tellement bien, à cause de sa bouche et que, pour faire l'enchanteur, il faut que les gens le comprennent.

— Hé oui..., a fait le maire, sacrément embêté.

— Mais, dans le village, tout le monde le comprend. On a l'habitude. Si c'était pour faire l'enchanteur ailleurs, à Cardignan ou à Saint-Martin, je dis pas. Mais, ici, on le comprend. Elle est bonne, votre goutte. C'est de la vieille ?

— Oh oui ! Elle a au moins dix ans.

— Et pour le tambour, alors là, je vous dis que Joseph s'y connaît. Je lui ai appris quand il était encore tout petit, et, personne ne peut dire le contraire, il est meilleur que moi. Il est comme moi avant les rhumatismes et même meilleur, oui, même meilleur. Moi, je dis : un as. Et attention ! Il peut continuer à faire le cantonnier.

Le maire, qui réfléchit en buvant une deuxième goutte, pense que Gaston a raison côté tambour. Tout simple qu'il est, Joseph est un champion. Quand il joue, dans le jardin de Gaston, on dit : « Ça, c'est pas Gaston, ça c'est son Joseph. » Et on écoute. Ça roule, ça monte, ça descend, ça ralentit, ça accélère puis, brusquement, ça frappe fort, très fort, doucement ensuite comme s'il caressait la peau tendue avec des plumes, fort, de nouveau doucement, et on dirait qu'il promène une brosse sur le tambour. Et des petits coups sur le bois. Des raclements. Des tas de trucs incroyables. Côté tambour, c'est le roi.

— Ecoute, Gaston, moi je serais d'accord pour que Joseph te remplace...

— Ah ! merci, monsieur le Maire !

— Mais il faut que j'en parle au Conseil pour qu'on soit tous d'accord. On a justement une séance, mercredi. On décidera et je te tiens au courant.

— Entendu, monsieur le Maire.

Gaston se lève, met sa casquette et sort. Il a bon espoir. Il les connaît tous, ceux du Conseil, et il n'y a personne qui veuille du mal à lui ou à Joseph. Si, peut-être, le vieux Reboul... Mais il ira le voir, en faisant semblant de rien, et lui demandera s'il veut des fagots de sarments pour l'hiver. Il lui dira : « Si tu en as besoin, viens en chercher, j'en ai plein la cave... » Et Reboul sera aussi pour Joseph.

Très bien. Pas de grosse discussion. Le Conseil a voté. Bien sûr, Cazes, l'adjoint, a parlé de l'infirmité de Joseph, mais, du moment que tout le monde a l'habitude de parler avec lui, dans le village, allons-y, d'accord pour Joseph. Il remplacera Gaston comme enchanteur. Quand son père le lui a annoncé, le simplet a sauté de joie et s'est précipité sur le tambour pour aller en jouer à travers les rues. Il a fallu que Gaston le calme.

— Non, non... Il est dix heures du soir et tu réveillerais tout le village. Bon, et maintenant, Joseph, c'est un grand honneur pour toi et moi, mais il faudra que tu te surveilles pour qu'on comprenne ce que tu annonceras. Tu parleras sans te presser en regardant bien les mots écrits sur le papier.

Il entraîne Joseph. Par exemple : « La foire se tiendra la semaine prochaine sur la place du Marché, comme d'habitude. » Un coup de tambour. « On annonce un grand arrivage de châtaignes chez Berthou, Fruits et primeurs. » Etc. Joseph bave un peu mais ne s'en tire pas trop mal.

Et Joseph le Simple est enchanteur. Ce qu'il est fier ! Il faut le voir pour le croire. Tous les cent mètres, il s'arrête, jambes écartées. Il attend quelques secondes puis, comme s'il dégainait deux sabres, il sort les baguettes de leur étui de cuir et de cuivre, respire et vas-y qu'il joue ! Oh ! c'est Joseph ! Les gens sortent devant la porte pour l'écouter, ou bien ouvrent la fenêtre. Et chaque jour on se croirait au concert. Et toujours, une bande d'enfants le suit, comme s'il était tambour à la tête d'un régiment. Jamais ils n'avaient suivi Gaston, ce qui prouve que Joseph est meilleur que son père. Et l'on dirait, incroyable ! que Joseph fait encore des progrès et joue de mieux en mieux. Le tambour roule, chante, crie, pleure, se calme, s'amuse, caresse, se met en colère, rit. Il est magique sous les baguettes de Joseph. Et les enfants le suivent durant toute sa tournée. Il y a là les plus fidèles : Pépé, Gégé, Dédé, Titi, Jojo et Dine. Dine, c'est une fille. Les garçons n'en voulaient pas dans leur bande et, au début, ils ont tout inventé pour la décourager. Ils lui ont tiré les cheveux, marché sur les pieds ; ils l'ont pincée et traitée de « fille », de « pisseuse », et de tout, mais elle a tenu bon, pour rester avec eux, et maintenant ils l'ont adoptée, comme si elle était un garçon. Elle a le nez en l'air, des cheveux noirs, et elle court vite. Toute la bande, chaque jour, suit Joseph jouant du tambour comme s'il était leur chef, et le simplet se prend pour leur général. Il leur crie : « Garde à vous ! En avant marche ! » et tous obéissent. Joseph, c'est le bon Dieu qui joue du tambour. Il leur raconte que, s'il voulait, en jouant, il ferait tomber les raisins, qu'il chasserait toutes les pies des bois, qu'il pourrait casser toutes les vitres des maisons. « Avec mon tambour, je peux tout faire ! »

— Allez, venez ! En avant, marche !

— Où on va ? a demandé Pépé.

— Vous allez voir.

— Il faut dire aussi que, depuis qu'il a été nommé enchanteur, il boit beaucoup de goutte. Ce jour-là, il marchait un peu de travers.

Ils ont grimpé le talus, derrière Joseph, et les voici maintenant sur la voie de chemin de fer.

— Repos ! Asseyez-vous sur les rails, je vais jouer un concert.

Il a joué. C'était magnifique. Gégé, Pépé, Dédé, Jojo et Dine en avaient la bouche ouverte.

— Attention, il a crié brusquement, tous au milieu des rails derrière moi. Attention ! Le train arrive et je vais l'arrêter !

Ils se sont alignés vite derrière lui et le train, là-bas, arrivait. On voyait le panache de fumée noire. On entendait le grondement.

— Je vais l'arrêter comme un cheval !

Joseph s'est mis à jouer et à battre du tambour comme un fou. Le train fonçait à toute vitesse. Il a sifflé mais Joseph jouait à toute vitesse aussi. Le train, on voyait maintenant le devant de la locomotive, la vapeur qui lui faisait, des deux côtés, deux pattes de pigeon. Il grondait et sifflait comme un taureau. Il était tout près.

C'est Dine qui a poussé un cri terrible qu'on a entendu malgré le bruit du train, c'est elle qui, la première, a sauté le rail.

— Non ! Non ! elle a crié.

Tous les autres ont sauté, l'ont suivie et ont roulé en pagaille sur le talus. Joseph jouait mais on ne l'entendait plus. Il jouait du tambour comme un as, mais, arrêter un train, c'est difficile. Seul, il est resté debout au milieu des rails. On n'a même pas retrouvé le tambour. Joseph, n'en parlons pas, c'était comme si le train, gueule ouverte, l'avait mangé tout cru.

Du poivre dans les yeux

Pitchoun. Son père ne l'appelle que comme ça et voilà pourquoi, dans tout le quartier, on a fini par l'appeler Pitchoun, et à l'école aussi. Est-ce qu'un jour, quand il sera dompteur, on continuera de lui donner ce surnom ? « Pitchoun et ses tigres royaux ! » « Venez voir Pitchoun et ses lions de l'Atlas ! » Il aura des pectoraux, nus, pas poilus, musclés comme ceux des nageurs et des athlètes qu'on voit sur la couverture de *Culturisme pour tous* ; il portera des bottes de cuir rouge, une petite jupe à lanières brillant comme de l'or et des poignets de force, rouges aussi, et constellés de pierres et de diamants. Faux, mais on croira que c'est vrai. Quand un cirque plante sa tente, dans notre village, sur la place Gambetta, Pitchoun va visiter la ménagerie où les lions passent leur temps à dormir et ne se réveillent que lorsque les grilles glissent et qu'on leur jette des carcasses qu'ils déchirent en posant une patte dessus et en penchant leur grosse tête pour arracher la viande des os. La panthère est un peu moins endormie et a droit à une cage où elle se promène en interminables va-et-vient sans regarder personne. Si, parfois, elle s'arrête, pose son regard jaune sur les visiteurs, appuyés à la barrière de protection, ça dure trois secondes, elle ne dit rien, elle ne reconnaît personne et, ça y est, elle recommence à marcher, d'un côté, de l'autre, sans trouver la sortie de sa prison. A la fin, on en a la tête qui tourne. Pauvres lions, tigres et panthères ! Ils s'ennuient à mourir, sans Nègres, sans palmiers et sans antilopes, et doivent avoir des puces. On ne les lave jamais.

La panthère, on dirait une écharpe qui se plie et se déplie, sans bruit. Pour attaquer, lorsqu'elle est en liberté, elle se couche sur une branche d'arbre. On passe sur le chemin et, soudain, un doux mais lourd coussin de soie vous tombe sur les épaules et vous tue. En attendant d'être dompteur, il est l'heure d'aller à l'école. Pitchoun aimerait savoir faire tout ce que font les artistes du cirque. Lancer des couteaux, jongler avec des torches enflammées, cabrioler sur un cheval blanc qui tourne autour de la piste en secouant la tête à petits coups, marcher sur un fil, être un clown qui expédie des jets d'eau par ses oreilles et sort un accordéon de sa grande poche, brandir le trident et faire claquer son fouet sous le nez des lions qui grondent, en rejetant leur tête en arrière et en montrant leurs crocs. Malheureusement, il faut aller à l'école et, comme il est trop bon élève, Pitchoun, mélancolique, pense qu'il ne sera jamais dompteur. Et, à l'école, il y a ce salaud de Sanchez. Comme il est en retard, il est plus vieux que les autres élèves, donc plus fort, et il fume, en cachette, des Parisiennes et montre tout le temps sa queue. Il se fout d'être un cancre puisqu'il est le plus vieux, le plus costaud et ne parle que de ses branlettes. Il a une grosse tête blonde et des yeux jaunes. Il ressemble à un lion et, si Pitchoun était dompteur, il l'obligerait à monter sur les pupitres de la classe et à sauter de l'un sur l'autre.

Au mois d'octobre, dès la rentrée, Sanchez a distribué des bourrades et des coups de pied et de poing. Il a vidé les cartables des nouveaux sur leur tête, pissé sur les pieds de ses voisins, aux cabinets, et montré sa queue. Et voilà, il est devenu le chef. On lui donne le chocolat du goûter, on rit quand il rit et, quand il emprunte un taille-crayon ou n'importe quoi, il ne le rend jamais. Pitchoun a résisté, en octobre. Il lui a dit :

— T'es un con !

— Répète !

— T'es un con !

Alors Sanchez, de la main gauche, a attrapé Pitchoun par le haut de la blouse et a tiré de haut en bas. La blouse s'est déchirée complètement et tous les boutons ont sauté. Comme un chat, Pitchoun s'est jeté sur ce salaud et lui a lancé des coups de poing. Il aurait pu gagner car Sanchez, étonné par l'assaut, avait un peu reculé, mais Pitchoun pensait à sa pauvre blouse neuve maintenant en lambeaux et à la tournée que sa mère et même peut-être son père allaient lui flanquer. A cause de ça, sa rage était désordonnée. Sanchez s'est lancé sur lui, lui a fait une prise de lutte autour du cou et l'a balancé sur un tas de feuilles mortes. « T'as compris, maintenant, morpion pourri ? » Il y a eu encore deux autres bagarres. La première parce que Sanchez lui avait envoyé une giclée d'encre au visage ; la seconde parce qu'il lui avait pissé, par-derrière, sur la blouse. Les deux fois, Pitchoun s'est courageusement battu mais, c'est la vérité, il a perdu. Plus la peine d'insister. Tout ce qu'il a gagné, quand même, c'est que Sanchez le déteste mais l'emmerde un peu moins que les autres. De temps en temps, bien sûr, il lui file un croc-en-jambe ou le bouscule dans le couloir mais ça ne va pas plus loin. Pitchoun, lui, se venge comme il peut. Il ne rit pas quand Sanchez raconte une histoire drôle ; il ne lui regarde pas la queue, aux pissoirs, quand il la montre ; et, enfin, il sautille sur son banc et se tourne en rigolant vers Sanchez quand l'instituteur récite les notes et dit avec un soupir : « Sanchez, ça t'amuse d'être un âne ? Tu sais pourquoi tu as 1 ? Pour le papier... » Pourtant, à la récréation, l'âne redevient lion et se promène dans la cour comme si son 1 ne lui faisait ni chaud ni froid. Son père, qui est chaudronnier, ne vient jamais voir l'instituteur et on dirait qu'il ne sait même pas que son fils n'a que des 1. Il tape sur ses chaudrons et rétame des casseroles dans la petite cour de sa maison, derrière l'église, et siffle. Il est content que Sanchez soit costaud. Quand il signe le cahier de notes et qu'il n'y voit que des 1 ou des 2, il rigole ; il envoie une tape sur l'épaule de son fils et lui dit : « Toi, fiston, ça m'étonnerait que tu deviennes le président de la République ! » Sa mère aussi, elle s'en fout. Elle est jolie, assez grosse des nichons et du derrière, et discute avec le facteur, le boucher, les gendarmes, avec tout le monde. Elle est contente parce que tous lui regardent les nichons. Ça n'empêche pas que Sanchez est une brute et un sale con. Et impossible de le battre à la boxe ou à la lutte. « Quand tu auras une queue grosse comme la mienne, on discutera... » Ça, c'est sa dernière phrase pour clouer le bec à Pitchoun. Il en a inventé une autre : « Toi t'as 9 sur ton carnet de notes, mais, moi j'ai 10 sur ma queue ! »

Et maintenant, au mois d'avril, il s'est mis à poursuivre Coucou qui a de grands pieds mais le reste est bien. Elle est la plus jolie du quartier et elle tire tout le temps sur sa robe parce que sa mère continue de croire qu'elle est une petite fille et l'habille avec des robes trop courtes. Résultat : les garçons regardent ses jambes et s'approchent d'elle. Sanchez est celui qui l'embête le plus. Il marche à côté d'elle et lui dit des choses qui la font rougir et même pleurer. Il lui dit : « Si tu te défends, je déchire ta robe et tu te feras engueuler par ta mère. » Elle pleure, elle maigrit, elle a les yeux cernés et, en classe, elle est distraite et attrape de mauvaises notes alors qu'elle était bonne élève. Elle n'ose se plaindre à personne sauf à Pitchoun qui a dit à Sanchez : « Tu es le plus grand salaud que je connaisse. Tu es sale et tu pues. » Trois jours après, Sanchez lui a mis, en douce et enveloppée dans du papier, une merde dans le cartable. Quand Pitchoun a ouvert le papier, sous le pupitre, il a eu les mains pleines de merde. Quel tohu-bohu, dans la classe ! « Va te laver ! a crié l'instituteur. Qui a fait ça ? » Personne n'a dénoncé Sanchez et, d'ailleurs, personne ne l'avait vu mettre le paquet dans le cartable. Ensuite, le lendemain, il a poursuivi Coucou et l'a coincée contre le mur de l'église. Il tenait une souris morte par la queue, de la main gauche. « Si tu te laisses pas faire, je te la mets sous la robe. » Alors, avec la main droite, il a touché Coucou terrorisée.

Quand les vacances de Pâques sont arrivées, il a dit à Coucou : « Je t'attends jeudi dans le petit bois au bord de la rivière, près de la cabane du Bossu. Demain, à trois heures. Si tu ne viens pas, je te frotterai la bouche avec un rat, et si tu cafardes à Pitchoun, je l'attaquerai et lui brûlerai les yeux avec du poivre. » Il a montré le poivre.

Elle a tout raconté à Pitchoun. Il lui a dit : « N'y va pas, Coucou, et t'en fais pas. » Il a plongé la main dans sa poche et en a sorti un couteau. « Regarde, il est à cran d'arrêt. » Il a ouvert le couteau dont la lame, neuve, brillait. « Puis tu tires sur l'anneau et, clac ! tu le refermes. Je l'ai volé à la foire. »

Le jeudi, Pitchoun s'est caché dans la cabane du Bossu et il guettait l'arrivée de Sanchez à travers une fente de la porte pourrie. Pour rester en colère, il pensait à la merde, au rat et au poivre. Il avait dit à sa mère qu'il allait goûter chez la mémé qui habite à sept kilomètres, dans l'autre village.

Puis Sanchez est arrivé qui a ouvert de grands yeux en colère quand il l'a vu sortir de la cabane, les mains derrière le dos. Il s'est avancé vers lui et ils étaient presque nez contre nez quand Sanchez a dit :

— Alors, elle t'a cafardé ?

— Fous le camp ! a répondu Pitchoun, toujours les mains derrière le dos.

— Attends, a dit Sanchez, je vais d'abord te casser la gueule.

Il s'est reculé d'un pas et, en rigolant, a craché dans ses mains.

— T'es prêt ?
— Oui, a dit Pitchoun.
Sanchez s'est jeté sur lui.

Pitchoun a couru vers la route. Au bas de la côte, il y avait un camion chargé de fourrage sec, un énorme nuage de fourrage. Le chauffeur, qui était descendu pour vérifier les grosses cordes retenant le chargement, remontait dans sa cabine. Pitchoun a eu une idée et a sauté à l'arrière, puis s'est caché dans le fourrage en s'accrochant à une corde. Le camion a démarré et a filé vite. Avant le village, il a freiné sur la petite route pour prendre un chemin de terre qui conduisait vers une ferme et Pitchoun a sauté comme un chat. Il s'est secoué et s'est nettoyé de toutes les brindilles. Tranquille, il est arrivé chez la mémé qui lui a dit :

— Tu arrives déjà ? Je t'attendais pour le goûter. Il est que trois heures et quart. A quelle heure tu es parti de la maison ?

— Après le dîner, c'était deux heures.

— Tu as bien marché, toi, a dit la mémé.

Le pêcheur a dit aux gendarmes : « C'était trois heures juste. Il venait d'être tué. Ça saignait encore... » Les gendarmes ont fait une enquête extraordinaire. Ils ont fouillé pour chercher « l'arme » mais ne l'ont pas trouvée. Forcément, elle était dans la rivière. Ils ont vérifié l'emploi du temps de beaucoup de monde et même celui des copains de Sanchez ; et même celui de Pitchoun.

— Tu n'as rien vu ? Tu es passé à côté du petit bois ?

— Non, j'ai rien vu... J'étais chez ma mémé.

Les gendarmes réfléchissaient après avoir entendu les uns et les autres. Ils ont pensé bien sûr que le gosse ne pouvait pas être « sur les lieux du crime » à trois heures et chez sa mémé un quart d'heure après. Il aurait fallu qu'il fasse, à pied, au moins du 24 à l'heure. Impossible. Et personne n'a su qui avait tué Sanchez d'un coup de couteau. Personne sauf Coucou.

— C'est toi ?

— Oui…

— Mais comment tu as fait pour être chez ta mémé en même temps ?

— Je me suis débrouillé.

Personne n'a plus embêté Coucou qui est redevenue une bonne élève. Et Pitchoun a continué d'être premier. Onze ans plus tard, ils se sont mariés et ils habitent maintenant Perpignan où ils ont tous les deux une bonne situation.

Le prince du désert

C'est le carnaval. Beaucoup de monde se déguise, en petits vieux, en petites vieilles, des hommes en femmes. Il y en a qui mettent des plumes ; d'autres un drap de lit sur la tête avec deux trous pour ressembler à des fantômes ; d'autres ont une tête d'âne, de diable ; d'autres se noircissent la peau avec du charbon, comme les Nègres. La nuit, les garçons frappent aux portes, partent en courant et jouent de la trompette. Quand les chats les voient, ils fichent le camp parce qu'ils savent que les garçons leur accrochent des boîtes en fer blanc à la queue.

Maman a acheté un masque doré à Emilie et lui a fabriqué un long chapeau pointu avec du carton bleu.

— Et tu porteras cette robe longue et blanche. A la ceinture, on accrochera des bouts de serpentins. Tu seras la Princesse Merlin.

— C'est l'Enchanteur, Merlin.

— Oui, mais tu seras sa princesse. Et tu te marieras avec lui.

— Et s'il n'est pas là ?

— Tu ne le verras peut-être pas mais il sera là, et lui il te verra. Quand il veut, il est invisible.

— C'est pas vrai.

— Mais si, Emilie, c'est vrai.

Dans l'après-midi, on a regardé passer les chars, il y en avait cinq, d'où les masques lançaient des confettis et des serpentins. Sur le premier char, la reine du carnaval, sans masque, avec une couronne d'or sur la tête, était debout sur une table couverte de fleurs et jetait des bonbons et des dragées dans la rue. Les garçons se battaient pour les ramasser et les plus costauds en avaient la bouche pleine.

Le soir, on est allé au bal dans la grande salle du café Le Casablanca. Emilie sait pourquoi le café s'appelle comme ça. Parce que M. Ruiz, le patron, est allé il y a longtemps soldat chez les Arabes, dans un pays qui s'appelle Casablanca. Et, chaque année, M. Ruiz, avec sa chéchia rouge et un pompon, fait le zouave mais surveille quand même les garçons. S'ils se battent, il monte sur une table et crie. Puis, il joue du clairon et on l'applaudit. Ensuite, il dit : « Et maintenant, les enfants, du calme, et vive la coloniale ! » Bravo.

Maman porte un masque rose, papa une tête de cheval qu'il secoue, Emilie est la Princesse Merlin.

— Comment tu feras, pour danser avec ta tête de cheval, mon pauvre Charles ?

Maman riait.

— Je la mettrai sous le bras.

— Mais alors on te reconnaîtra !

— Tant pis, je garderai la tête.

Dans la grande salle du café Le Casablanca, c'est plein de monde, absolument plein. Des masques et des masques ! Au fond de la salle, sur l'estrade entourée de branches, l'orchestre joue très fort. Le gros qui souffle dans le piston s'est mis des moustaches noires qui coulent jusque sur sa chemise et porte une casserole verte sur la tête, attachée sous le menton avec une ficelle. Celui qui joue de l'accordéon est assis sur une petite échelle et, de temps en temps, fait semblant de tomber. Il a une pomme rouge sur le nez et de grandes oreilles qu'il bouge en tirant sur un fil. Elles sont molles et ressemblent à des oreilles de cochon. Papa et maman dansent ensemble, mais quand le gros à la casserole crie : « Et maintenant, changement de cavalier », tout le monde se bouscule et papa et maman se séparent et dansent avec n'importe qui. On boit beaucoup de bière et de mousseux. Emilie de la grenadine avec de la limonade. La copine d'Emilie, Francette, boit de la menthe. Dès qu'elle a vu Emilie, Francette lui a dit :

— Je t'ai reconnue. Je sais qui tu es.

— Moi aussi, je t'ai reconnue.

Francette est déguisée en personne. Elle porte quand même un masque jaune avec de la dentelle. Un peu jalouse, elle dit à Emilie :

— Tu es déguisée en quoi ?

— En Princesse Merlin. Et toi ?

— Moi, je suis déguisée en moi. Viens, on va courir, j'ai des serpentins.

Et les voilà qui courent entre les danseurs, trébuchent, se poursuivent, jettent des serpentins et crachent parce que les garçons leur lancent des confettis sur la bouche.

— Arrêtez !

— Qu'est-ce qu'ils sont bêtes !

Mais les garçons sont comme des fous. Il y en a qui se cachent sous l'estrade de l'orchestre et, avec des poires, envoient de l'eau sur les jambes des filles.

M. Ruiz, le patron, est monté sur une table, avec sa chéchia. Dans la main gauche, il porte comme une bassine plate qu'il a ramenée de Casablanca et, dans la main droite, c'est comme une massue. Il est sur la table.

— Vive la coloniale ! on crie dans la salle.

M. Ruiz frappe un grand coup sur la bassine.

— Merci les enfants ! Merci !

Puis il montre la bassine.

— Vous savez ce que c'est, ça ?

— Nooon ! crie la salle.

— Alors je vais vous le dire : c'est un gong ! Vous avez compris ?

— Nooon !

— C'est pas un petit gong, c'est pas un grand gong,

c'est pas un sale gong, c'est pas une espèce de gong. C'est un vrai gong !

Tout le monde se tord de rire.

— Bon ! Je vois que vous avez compris. Qu'est-ce que c'est ? Allez-y ! Tous ensemble ! C'est un... ?

— C'est un gong ! crie toute la salle.

— Bravo ! Merci ! La coloniale vous remercie ! Et maintenant, silence dans les rangs ! Vous allez assister à la grande, à la magnifique surprise de la soirée ! Attention !

Il frappe trois coups terribles sur le gong, avec sa massue. On se tait. On attend.

— C'est un gong ! crie Emilie.

— Tais-toi ! Tu es folle ! lui dit Francette.

Emilie rougit et met sa main sur sa bouche.

— Silence !

M. Ruiz frappe encore trois coups.

Alors, derrière l'orchestre, la grande porte du café Le Casablanca, qui donne sur le jardin de M. Ruiz, s'ouvre et personne n'en croit ses yeux, les cous se tendent quand on voit entrer dans la salle un spahi, avec une cape rouge, une blouse bleue et des pantalons blancs, une ceinture en or, des bottes de pompier magnifiques et un turban blanc sur la tête. Et un masque noir ! Et il est monté sur un gros cheval blanc qui a une peau de bête sur les fesses.

— Ecartez-vous ! Laissez le passage ! crie M. Ruiz, et il frappe un grand coup sur le gong. Silence dans les rangs !

Les danseurs s'écartent. Emilie a perdu Francette et elle ne sait plus où sont papa et maman. Tant pis ! Elle regarde le chevalier.

— Et maintenant, crie M. Ruiz, toujours debout sur sa table, je vous présente le prince du désert Abdallah Youssouf le Lion ! Il nous a fait l'honneur de venir de Casablanca mais il ne vous montrera pas sa tête parce qu'il est ici incognito. Et maintenant, musique ! En avant, prince !

Alors, l'orchestre s'est mis à jouer *La Marseillaise*, et le prince Abdallah Youssouf le Lion s'est avancé sur son cheval et, lentement, a fait le tour de la salle. Malgré *La Marseillaise*, on entendait le bruit des sabots du cheval sur les carreaux blancs et noirs de la salle. Le prince du désert ne bougeait pas. On aurait presque dit un mannequin.

Emilie a eu une idée extraordinaire. Elle est sortie en courant par la porte de la rue, elle a fait le grand tour des maisons pour se retrouver devant la porte du jardin de M. Ruiz, derrière le café. La porte était fermée mais sans la clef, et elle est entrée dans le jardin où elle s'est cachée, vite, dans une barrique placée sous un arbre. Par le trou de la barrique, elle regarde. Dans la salle, M. Ruiz crie :

— Et maintenant, le prince du désert va disparaître et revenir à Casablanca ! Toujours mystérieux et incognito ! Vive le prince !

— Vive le prince ! crie la salle pendant qu'on ouvre la porte du jardin.

Et le cheval blanc et son cavalier disparaissent et, vite, on referme la porte. Tout le monde applaudit.

— Place à la danse ! Une java !

M. Ruiz frappe deux coups sur le gong et descend de sa table pendant que l'orchestre joue une java.

Dans le jardin, sous la lune, le prince Abdallah Youssouf le Lion descend de son cheval et fait : « Ouf ! » Puis, il attache le cheval à un anneau du mur, ôte sa cape, sa blouse, ses pantalons, son turban, dit : « Merde, saloperie de bottes ! », en français, parce que c'est difficile pour les enlever et va dans la cabane d'où il ressort habillé en garçon de café. C'est Nicolas, le fils de M. Ruiz ! Emilie le reconnaît. Le prince, c'était Nicolas ! Il ouvre en douce la porte et rentre dans le café par une autre porte, celle d'un couloir. Emilie a une autre idée et reste dans le tonneau, longtemps. Elle a envie de dormir mais se dit : « Il ne faut pas » et se pince.

— Francette, tu n'as pas vu Emilie ?
— Non.
— Tu n'étais pas avec elle ?
— Si, mais y'a longtemps.

L'orchestre joue une valse-musette mais papa qui a enlevé sa tête de cheval et maman son masque cherchent partout la petite fille. Ils demandent à ceux qui sont démasqués parce qu'il est tard : « Vous n'avez pas vu Emilie ? » Non, non... Tout le monde répond non.

— Ça y est ! La voilà ! Je l'ai trouvée ! crie Francette. Elle est là-bas !

Maman et papa se précipitent. Dans la barrique, Emilie a perdu son chapeau pointu en carton mais elle porte toujours son masque.

— La voilà ! dit Francette qui l'a prise par la main.
— Mais où étais-tu passée ? dit maman presque en colère. On te cherche depuis une heure !
— Où étais-tu, Emilie ?

Francette attend, curieuse. Alors, Emilie la regarde et dit : « J'ai rencontré le prince et il m'a demandé de monter sur son cheval et on est allé se promener... » Les yeux de Francette sont tellement ronds qu'on croirait qu'ils vont tomber. « ... Et il m'a demandé de me marier avec lui. »

Papa est allé voir M. Ruiz.

— Dis, Fernand, entre nous, qui c'était le prince ?
— Secret, motus ! Pourquoi tu me demandes ça ?
— Parce que mon Emilie a disparu pendant plus d'une heure et elle raconte que le prince machin l'a enlevée. Et comme elle n'a que huit ans mais qu'elle est mignonne, tu comprends...

— Bon, alors je te le dis. C'est Nicolas. Et il n'a pas enlevé la petite puisqu'il est revenu servir tout de suite. Elle t'a raconté son histoire, ton Emilie.

— Bon, merci, Fernand.

Finalement, Emilie a avoué qu'elle s'était cachée dans la barrique pour voir le prince, mais qu'elle avait voulu mentir à cause de Francette.

— Je sais qui c'est, le prince. Et il n'y a que moi qui le sais.

— Et tu ne veux pas me le dire ? demande maman.

— Non.

— C'est un vrai prince au moins ?

— Oui, dit Emilie sous son masque.

Popo et Pepito

Cassagnol a mis le sac sur son dos et a dit : « J'y vais ! » Il était pâle, les dents serrées et dans une colère à faire peur. « Je vais avec toi, papa ! » Lolo pleurait. Maman, sur le pas de la porte, se tordait les mains. Chez le vétérinaire, papa a vidé le sac sur une table en pierre.

— C'était un beau chien, a dit le vétérinaire.

— Un braque. Je l'avais payé quarante francs.

Le vieux vétérinaire a examiné Popo, lui a ouvert grande la gueule, a bien regardé la langue.

— C'est arrivé cette nuit ?

— Oui. On me l'a empoisonné, pas vrai ?

— Oui, je crois bien.

— Vous n'êtes pas sûr ?

— Si. Mais je peux l'ouvrir, si tu veux.

— Pas la peine. Je préfère l'enterrer comme ça.

— Tu sais qui a fait ça ?

— Si je le savais, il serait mort.

— Qu'est-ce que tu veux, Cassagnol, tu es le meilleur de la région, à la chasse, et ça fait des jaloux.

— Pas une raison pour me tuer le chien.

On a creusé un trou, au fond du jardin, et on a enterré Popo. Triste journée. Papa a donné des coups de plat de pelle, sur la tombe. Il n'en finissait pas de taper. Mais toute la saison de chasse, pour lui, a été fichue. Sans Popo...

Un soir, tard, il est revenu et il sifflait.

— Lolo, va voir dans le jardin !

— Qu'est-ce qu'il y a ?
— Va voir.

Dans le jardin, il y avait un petit braque qui sautait, aboyait, secouait une vieille peau de lapin. Lolo, fou de joie, s'est précipité sur le chien et ils n'arrêtaient pas de jouer ensemble.
— Qu'est-ce qu'il ressemble à Popo !
— Oui, c'est pour ça qu'on va l'appeler Pepito.
— Quel âge a-t-il ?
— Trois mois. Mais je te dis que l'année prochaine il sera déjà bon pour la chasse. Tu l'as vu avec la peau de lapin ? Et je vais pas perdre de temps, je vais le dresser. Comme je te dresse, pas vrai, Lolo ?
Et il a pincé l'oreille du petit.

Dressage de Pepito. Au début, pas facile. Il courait partout et ne pensait qu'à s'amuser ; mais, peu à peu, il obéit. « Arrêt ! Ici ! Pas bouger ! J'ai dit : Ici ! Couché ! Allez ! » Et Pepito file, revient, remue la queue et, quand il a bien travaillé, reçoit en récompense la moitié d'un sucre.
— Il chassera aussi bien que Popo, je te le dis. Attends l'ouverture ! On verra ce qu'on verra.
Dans le village, on dit à papa :
— Eh ! Tu as un joli chien, Cassagnol. Il est dressé ?
— Presque.
— Pour un joli chien, c'est un joli chien. Un braque pareil, c'est pas donné. Combien tu l'as payé ?
— Je l'ai payé ce qu'il me coûte.
— Fais attention.
— A quoi ?
— On t'a pas empoisonné le dernier ?

Pepito couche dans sa niche, près du puits, et, bientôt, c'est l'ouverture. Maman a dit :

— Puisque tu es inquiet, Pepito n'a qu'à coucher dans la maison.

— Un chien de chasse couche dehors.

— Et si on te l'empoisonne, juste avant l'ouverture ? Tu creuseras un autre trou, dans le jardin ?

— T'énerve pas et patience. Je te jure que Pepito fera l'ouverture.

— Sauf si on te l'empoisonne.

Lolo supplie. Il faut que Pepito couche dans la cuisine. Non, un chien de chasse couche dehors.

— Et moi aussi, je vais coucher dehors !

Une nuit, rien. Deux nuits, rien. Quatre, cinq nuits, rien. Et puis, il y a eu cette ombre, cet homme qui s'est approché et qui fouillait dans sa musette. Il en a retiré un morceau de quelque chose et il se penchait au-dessus du petit mur...

— Bouge pas ou je tire !

L'homme est resté là, plié en deux au-dessus du mur puis il s'est redressé. Pepito, sorti de la niche, aboyait en tirant sur sa chaîne, parce qu'il avait entendu la voix de papa et voyait l'homme.

— Tourne-toi !

Il s'est tourné. Maman, réveillée par les aboiements furieux de Pepito, arrivait dans sa chemise de nuit, un châle sur les épaules.

— Reste où tu es, Paule ! a crié papa.

— Qu'est-ce qu'il y a ?

— Rien. Je l'ai !

L'homme tremblait.

— Ah ! c'est toi, Rivière ! C'est toi, espèce de salaud ! Espèce de crapule ! Espèce de jaloux ! Ah ! c'est toi, canaille, qui m'empoisonnes les chiens !

— Cassagnol...

— Je vais te tuer, Rivière, te tuer.

— Non... Tire pas. Je t'explique...

— Tu m'expliques quoi, saleté, que tu vaux moins que de la merde ? Je vais te tuer, là, sur place.

— Non, Cassagnol...

Il était à genoux. Pepito aboyait. Maman était arrivée, là.

— Germain, arrête ! Ne le tue pas ! Je t'en supplie.

Et puis, comme elle ne savait plus ce qu'elle disait, elle a crié :

— Ne le tue pas. Tu vas réveiller le petit !

— Ça, c'est une idée, a dit papa en grondant. Va le réveiller, je veux qu'il voie cet assassin ! Va le réveiller !

— Tu me jures que tu ne le tueras pas avant ?

— Vas-y, je te dis.

— Prends cette pelle, crapule.

— Pour quoi faire ?

— Prends cette pelle et creuse !

— Tu veux me tuer ?

Il reçoit la pelle dans les reins, la ramasse et creuse. Cassagnol, son fusil à la main, Paule et Lolo regardent.

— Papa mais c'est là...

— Tais-toi.

A la fin, Rivière, à force de creuser, a rencontré le sac qui contient Popo.

— Y'a un sac.

— Prends-le.

— Il est pourri.

— Prends-le.

Il sort le sac.

— Ouvre !

Il ouvre en déchirant. Ça pue.

— Mets-toi à quatre pattes.

Il obéit.

— Mange !

— Mais je peux pas, c'est pas possible.

— Mange ou je te tue.

Et, rran ! papa lui écrase la tête sur le sac ouvert. Rivière gémit et se débat.

— Arrête, Germain, dit Paule.

— Lolo, donne-lui un coup de pied !

Lolo obéit.

— Lève-toi ! Marche devant ! Par là !

— Lolo, tu la fermes. Et toi aussi, Paule.

Demain, c'est l'ouverture, et il y a deux jours que Rivière a disparu et bouffe du pain dur, enfermé au milieu des rats dans la cave de Cassagnol.

— Quand est-ce que tu le relâcheras, Germain ?

— Après-demain.

— Et s'il va aux gendarmes ?

— T'en fais pas. Il n'ira pas.

Partout, on se demande où est passé Rivière. Un chasseur comme lui, disparaître juste avant l'ouverture ! Sa femme est affolée. Les gendarmes le cherchent partout et rencontrent Cassagnol. Le brigadier lui demande :

— Tu n'as pas une idée, Cassagnol ?

— Quelle idée vous voulez que j'aie ?

— Tu l'as vu y'a pas longtemps ?

— Il y a huit jours, sur la place.

— Il t'a rien dit ? Vous avez parlé ?

— On a parlé de l'ouverture, des chiens...

Le jour de l'ouverture, papa a fait cinq lapins. Cinq. Avec Pepito. La nuit, il a pris la grosse clef et est descendu à la cave. Lolo tenait la lampe électrique.

— Sors de là, crapule.

Méconnaissable, Rivière. De la barbe sale. Les yeux rouges qu'il clignait.

— Fous le camp !

Il est parti, en trottinant, sous la lune.

— Prends le fusil, Lolo. Appuie fort contre ton épaule, plus fort. Ça y est ?

— Oui.

— Tiens le canon en l'air. Appuie. Mets le doigt là.

— Ça y est.

— Tire !

Lolo a tiré en l'air en recevant un coup terrible dans l'épaule.

— C'est bien, Lolo. On lui a encore plus foutu la trouille. Oh ! merde, j'ai oublié. Lolo, toi qui cours vite, rattrape ce salaud et dis-lui que j'ai tué cinq lapins, aujourd'hui. Vas-y ! Vite !

Au château

Il passe dans les rues, chaque semaine, en poussant sa carriole et en soufflant dans une trompette. Il crie : « Peau de lièvre ! Peau de lapin ! » « Le Baron », comme on l'appelle, est chiffonnier. Il s'assied sous la halle où, avec un bâton de craie volé à l'école, Momo est en train de dessiner une maison sur la terre battue.

— Tu dessines, petit ?

— Oui, une maison.

— Tu devrais dessiner un château.

— C'est trop compliqué.

A croupetons, Momo dessine la fumée qui sort de la cheminée.

— Pourquoi on vous appelle le Baron ?

— Parce que je suis baron de Gensac. Tu connais le château de Gensac ? Mon grand-père y est né et il appartenait à ma famille.

— Et pourquoi vous n'y habitez plus ?

— Mon grand-père l'a perdu en jouant.

— En jouant à quoi ?

— Au jeu.

Momo ne comprend pas. Il lui explique.

— Toi, tu joues, et tu gagnes ou tu perds des noyaux d'abricot, non ?

— Oui.

— Mon grand-père, au lieu de jouer des noyaux, a joué et perdu le château. Voilà. Et comme il n'avait que celui-là, il ne l'a pas regagné. Tu as compris ?

— Oui.

Momo, maintenant, dessine une bicyclette appuyée contre le mur de la maison.

— Vous êtes un vrai baron ?

— Bien sûr.

— Et c'est quoi un baron ?

Difficile d'expliquer ça à Momo, surtout quand on est sale à faire peur, qu'on a une barbe grise roussie par le tabac autour de la bouche et des brodequins sans lacets.

— Autrefois, il y avait des rois. Tu le sais ?

— Oui. Des rois de France.

— Des rois en France et dans tous les pays.

— Oui, ils avaient une couronne sur la tête.

— C'est ça ! Il y avait des rois et ils faisaient la guerre.

— A qui ?

— Aux autres rois. Alors, quand on s'était bien battu à côté d'eux, ils donnaient une récompense. Ils faisaient duc, marquis, comte, baron... Ils te nommaient chef. Comme on est général, commandant, capitaine, tu comprends ?

Un peu. Pas beaucoup. Mais Momo dessine les rayons des roues de la bicyclette.

— Votre grand-père est devenu chef ?

— Oh non ! le grand-père du grand-père du grand-père de mon grand-père, c'est lui qui a été fait baron.

— Mais pas vous.

— Non, pas moi.

— Alors, pourquoi vous êtes baron ? Vous êtes pas chef.

— Comment s'appelle ton père ?

— Antoine.

— L'autre nom.

— Espinasse.

— Bon. Toi aussi tu t'appelles comme ça, non ?

— Oui, bien sûr.

— Et ton grand-père aussi, non ?

— Oui.

— Et moi je suis baron.

— Mais pas chef.

— Ni chef ni rien du tout. Je suis un baron pauvre qui achète des peaux de lapin et qui couche dans une cabane.

— C'est pas un château.

— Non. Je suis un baron qui n'a pas d'argent, pas un sou et pas de château. Mais je préfère être pauvre et baron que riche et pas baron.

Momo dessine un arbre tout petit à côté de la maison.

— Et ceux qui habitent le château, maintenant, ils ne sont pas barons ?

— Non, ils ne sont rien. Ils sont riches.

— C'est eux qui ont gagné quand votre grand-père a perdu ?

— Oui... Si tu veux. C'est compliqué.

— Un jour j'achèterai le château et je vous le donnerai.

— Ah ! mais comment tu feras ? C'est cher.

— Je serai riche. Je vous donnerai le château.

Le Baron remercie Momo d'une voix tremblante et des larmes mouillent ses yeux. Il fouille dans sa carriole, au milieu des peaux de lapin, et en sort une bouteille.

— On va boire un coup. Tiens ! Tu bois pas de vin ?

— Si, un peu, avec de l'eau.

— Oh ! çui-là, il n'est pas fort. Il fait même pas sept. C'est de la piquette. Tiens, vas-y ! T'es un homme, non ?

Momo boit un long coup puis tousse.

— Bravo, petit. C'est bon ?

— Oui...

Le Baron siffle de la piquette à son tour, repasse la bouteille à Momo, et, bientôt, elle est vide mais Momo est déjà complètement saoul. Et, comme le Baron a sorti une deuxième bouteille de la carriole et l'a vidée, il est, lui aussi, saoul comme un âne.

— Dites, Baron, vous voulez pas qu'on aille au château ?

— Eh ! pour quoi faire ?

— Je sais pas. Pour s'amuser. C'est jeudi, j'ai pas d'école.

— Eh ! ça tombe bien. Allons-y !

Ils ont pris la rue Victor-Hugo, puis la rue du Marché et puis, à la sortie du village, ils se sont mis à chanter. La la la, la la, ils chantaient n'importe quoi et le Baron s'est coiffé d'une peau de lapin. Momo aussi.

Ils ont poussé la grille et, ensuite, comme la grande porte était ouverte, ils sont entrés dans le château. Ils ont traversé un vestibule, ouvert une autre porte et les voici dans le salon où le Baron, après avoir bu encore un coup — car il a une troisième bouteille à la main — se promène sans chanter. Il regarde tout, les tapis, les fauteuils, les tableaux, les pendules et ou bien il secoue la tête, ou bien il rigole dans sa barbe. Momo le suit. Il n'a jamais rien vu d'aussi joli, même à l'église un jour de première communion.

— Oh ! a fait le Baron. J'ai une idée, petit !

Et il montre, là, dans un coin, à côté d'un paravent, un piano.

— T'as vu ? Le piano !

— Oui, il est grand.

— Il est à queue. Ça (il montre le gros morceau gonflé du piano), c'est la queue. Attends, petit, on va rigoler.

Il pose la bouteille sur la queue, s'assied sur le tabouret rond, soulève le couvercle et tape sur le piano, n'importe comment et en chantant. La la la, boum badaboum. Momo, lui, tape sur la queue en gueulant tant qu'il peut.

— Oh ! mon dieu ! a fait la grande femme, sur le seuil du salon. Elle portait un panier rempli de fraises qu'elle a failli lâcher.

— Oh !

Le Baron s'est levé, a ôté sa peau de lapin pour saluer la dame et a dit :

— Mes hommages...

— Mais...

Il a dit encore — mais comme il était saoul ça ne sortait pas facilement :

— Heureux, maame, vous cueillir chez moi...

Il s'est avancé mais la dame a reculé, effrayée, quand il a remis la peau de lapin sur sa tête et elle est partie en courant après avoir lâché le panier de fraises. Le Baron les a ramassées et Momo et lui en ont mangé.

— On lui a foutu la trouille, petit.

Il s'est essuyé la barbe pleine de jus et a dit :

— Bon, le concert continue ? Tape plus sur la queue. Je joue.

Il joue. Cette fois, il ne fait plus « La la la... boum, boum ! » mais ses mains sales caressent le piano, glissent, volent, et Momo n'a jamais entendu quelque chose d'aussi joli. Surtout quand le Baron ferme les yeux.

Maintenant, sur le seuil du salon, il y a la dame qui est revenue, accompagnée d'un homme qui porte une casquette et une chemise sans col. Dans la main gauche, il tient deux sabots, dans la droite un gros bâton. Il est sacrément costaud, il roule des yeux et s'avance vers le Baron en grondant comme un chien.

— Non ! Jacques ! Arrêtez !

Momo a eu peur et est passé de l'autre côté du piano mais le Baron, lui, a continué de jouer comme s'il ne s'était pas aperçu du retour de la dame et de l'homme au bâton. Il joue et, de nouveau, souvent, il ferme les yeux et relève la tête. On dirait un aveugle qui regarde le plafond.

Il joue comme ça assez longtemps. Dans le salon, la dame, l'homme et Momo écoutent sans bouger et en silence. La dame a la tête baissée. A la fin, le Baron se lève, referme le couvercle du piano, prend la bouteille et s'en va, suivi par Momo. En passant devant la dame, il la salue en enlevant sa peau de lapin, sans dire un mot, et sort. Dans le salon, la dame et l'homme au bâton restent seuls. Au bout d'un moment, elle demande doucement :

— Qui est-ce, Jacques ? Vous connaissez cet homme ?

— Oui, Madame.

Puis Jacques se tait.

— Eh bien, parlez, qui est-ce ?

Elle est brusquement impatiente et toute droite de curiosité.

— Allons !

Jacques regarde la dame et dit :

— C'est le Baron, Madame. C'est le baron de Gensac, Madame.

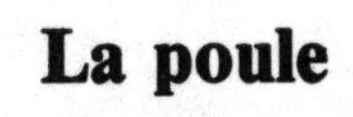

La poule

Même lorsqu'elle était toute petite, Elise aimait les poules. Pas les lapins, les canards, les pigeons ou les oies, non, les poules. A se demander si elle n'était pas née dans un poulailler et si son père n'était pas un coq, un coq géant, bien sûr, mais un coq. A se demander si, au lieu de dire « papa », « maman », « dodo », « pipi », elle n'avait pas commencé à caqueter, dès le berceau, et à dire : « Cot, cot, cot, codec ! » A peine marchait-elle qu'elle allait voir les poules en faisant très bien la différence avec les autres animaux de la basse-cour. Plus tard, elle confectionnait avec du papier ou des chiffons des boules jaunes qu'elle reliait par un fil. Elle attachait celui-ci à sa ceinture, dans son dos, et tournait autour de la table en entraînant ses poussins.

— Arrête de faire la poule ! lui disait sa mère.

Mais Elise continuait de tourner autour de la table et de pousser ses « Cot, cot, cot, codec ! » avec, derrière elle, ses poussins jaunes. Lorsque venait Noël, pendant toutes les années où elle crut au Père Noël, elle demandait à celui-ci, en disposant ses souliers dans la cheminée, de lui apporter une poule, et sa mère était obligée d'aller jusqu'à la ville pour courir tous les magasins et bazars de jouets afin d'acheter une poule. En peluche. Mais les marchands, souvent, n'avaient que des nounours.

— Une poule ? Ah ! nous ne faisons pas cet article, madame. Vous êtes sûre que votre petite fille veut une poule ?

— Oui, oui, absolument.

— Vous savez, si vous lui achetiez un nounours...

— Non, une poule.

— Nous en avons, mais en porcelaine. Boîte à bonbons ou tirelire.

— Elle en a déjà sept ou huit, en porcelaine. Ce que je cherche, c'est une poule en étoffe, en drap, en velours, grande si possible comme cet ours, là. Mais enfin, pourquoi n'avez-vous pas de poule ? Des ours ! Des ours ! Il n'y a pas d'ours dans le pays ! Il y a des poules.

— C'est plus facile à fabriquer. Un ours, c'est rond. Une poule, avec les pattes, les plumes, le bec...

Heureusement, il y avait une poule en fer coloré avec un ressort dans le ventre. On tournait une clef et elle picorait. Malheureusement, comme Elise tournait la clef toute la journée, la poule resta inerte dès le lendemain de Noël. En outre, elle ne pondait pas d'œufs ; mais enfin Elise se consolait : c'était quand même une poule. Aux approches de Pâques, la fillette perdait presque la tête. Et de supplier sa mère de lui acheter des poules en chocolat, en pain d'épice, en sucre. Et de rester clouée au trottoir devant les confiseries et pâtisseries. Et de s'adresser aux poules, nez collé aux vitrines, en poussant des « Cot, cot, cot, codec ! » dans l'attente d'une réponse. Et de pleurer lorsque sa mère la tirait par la main. Un jour, à table, ses parents parlaient du jeune Broussac, un voisin.

— Je me demande pourquoi il ne se marie pas, dit le père.

— Se marier, lui ? Il préfère aller avec les poules. Il n'aime que ça.

— Il a toujours la même, la brune ?

— Non, il est avec une autre.

Elise ne pipa mot mais Broussac, à partir de cette conversation, devint son ami secret. Comme elle, il a un amour violent pour les poules. Elle lui sourit. Elle lui dit bonjour. Elle lui fait des signes de la main, si bien qu'étonné par la gentillesse de la fillette le jeune Broussac lui demande si elle va bien, si elle est sage ; il la félicite quand elle porte un nouveau ruban dans ses cheveux.

— Bonjour, Elise. Alors tu es sage ?

— Oui.

— Tu iras en vacances chez ta mémé, bientôt ?

— Oui.

— C'est bien, ça.

Il est si gentil qu'elle n'y résiste pas et lui pose la question.

— C'est vrai que tu aimes les poules ?

Il a soudain de gros yeux.

— Qui t'a dit ça ?

— Maman. Elle a dit que tu ne voulais pas te marier parce que tu n'aimes que les poules. Moi aussi.

Depuis, le jeune Broussac n'adresse plus la parole aux parents d'Elise et passe sans un sourire devant la petite fille désolée.

A la ferme, chez Mémé, pendant les vacances, Elise connaît le bonheur. Il y a des poules partout et c'est elle qui leur donne à manger. Quand elle apparaît, avec son panier plein de grains, quel affolement dans la basse-cour ! Quel sublime concert de « Cot, cot, cot, codec ! » auquel répond Elise en criant encore plus fort. Mais pourquoi ces imbéciles se laissent-elles intimider par Coco le coq ? Il arrive, celui-là, avec sa crête rouge, fier et méchant. Il bouscule les poules, il bombe sa grosse poitrine, secoue les ailes, donne des coups de bec.

— Il est méchant, Coco, dit Elise à Mémé.

— Eh, il est le coq.

— Pourquoi elles ont peur de lui ?

— Elles n'ont pas peur. Il est le coq. Sans lui, elles ne pondraient pas des œufs. Il chante et, elles, elles font des œufs.

On dirait un roi, Coco, quand il marche. Il lève la patte lentement, il va la tête droite en secouant de temps en temps sa crête et voit tout avec son petit œil rond comme une lentille qui brille. Elise s'accroupit, pour qu'il la prenne pour une poule, et lui lance des « Cot, cot, cot, codec ! » agressifs. Mais Coco se détourne, plein de mépris, en lui montrant le panache de plumes qui orne son croupion. Et il saute sur une vraie poule qui s'écrase au sol, ailes ouvertes. Chaque soir, Elise va faire la cueillette des œufs qui reposent sur la paille et les rapporte triomphalement à Mémé. Ils sont tièdes et roux. Parfois, sur la coquille, on voit une ligne de sang.

— Ça lui passera, dit le père.

— Elle est fatigante avec ses poules ! Elle en est comme idiote !

— Non... Moi, à son âge, je me prenais pour un singe et j'étais tout le temps dans les arbres.

— Oui, sauf que quand elle fait ses « Cot, cot, cot codec ! » elle a l'air simple d'esprit.

Le père avait raison. Elise a grandi et n'a plus fait la poule, comme si elle avait oublié cette manie. Elle s'est intéressée aux poupées, elle a appris — un peu — à tricoter. Quand sa mère reprise les bas et les chaussettes, elle ne semble pas s'apercevoir que l'œuf est en bois et ne le caresse plus, alors qu'autrefois elle s'endormait en le serrant dans ses petites mains.

Elle a encore grandi. Elle n'est plus un bébé ou une fillette, mais une vraie grande. « Une fille », comme disent les garçons qui la poursuivent. Ils miaulent. Elle leur dit qu'ils sont bêtes et leur tire la langue.

— Eliiiise, je t'aiaiaime ! Miaou ! Miaou ! lui crie celui qui a le plus de boutons.

— Tu es le plus grand imbécile que je connais, lui répond Elise.

Quand elle a vu la tache de sang, dans le lit, elle a

eu une peur horrible. On l'avait tuée, elle était malade, elle allait mourir et, comme elle avait honte de mourir, elle s'est cachée en pleurant sous les draps. Inquiète, à la fin, sa mère est entrée dans la chambre pour la réveiller et la gronder d'être si paresseuse. Le drap était tellement secoué que sa mère l'a relevé.

— Qu'est-ce qu'il y a ? Pourquoi pleures-tu ? Dis-moi...

Mais Elise, roulée en boule, le visage inondé de larmes collé contre l'oreiller, hoquetait et ne s'arrêtait que pour gémir des « Cot, cot, cot, codec ! ». Un hoquet, un sanglot et d'autres « Cot, cot, cot, codec ! » murmurés. Sa mère, alors, a carrément arraché le drap, a vu les taches de sang et a embrassé Elise qui, à treize ans, cette nuit, était redevenue une poule.

C’était Gimenez

— Tu sais pourquoi elle va se marier, ta sœur ?
— Parce qu'elle va se marier, répond Pichette.
— Tu veux que je te le dise ? Elle va se marier parce qu'elle porte un petit.
Pichette ouvre des yeux grands comme des soucoupes.
— Où ça ?
— Ici, répond Cachou (on l'appelle Cachou parce qu'il en suce) en se tapant sur le ventre. T'as qu'à regarder et tu verras si elle n'a pas le ventre un peu gonflé, ta sœur. Tu regardes comme ça, tiens.
Et Cachou louche... Personne, de tous les garçons, n'arrive à loucher aussi bien que lui. A l'épicerie ou chez Lucienne, Fruits et légumes, toutes les femmes disent à Mme Pichette :
— Alors, on marie Florette ?
— Eh oui.
— Vous devez être contente.
— Bien sûr.
— Il est mécanicien, le beau-fils ?
— Oui, mécanicien.
— Mécanicien de motos, non ?
— De motos.
On voit bien que Mme Pichette n'aime pas qu'on lui pose des questions au sujet du mariage et du beau-fils, et on voit aussi que les femmes qui les lui posent sourient, mais, après chaque question, pincent la bouche.
A la maison, personne n'est de bonne humeur et on mange souvent sans parler. Papa remue son café en

regardant la tasse. Maman, cette semaine, a cassé deux assiettes en essuyant la vaisselle, et a crié : « Manquait plus que ça ! » Florette balaie doucement la cuisine comme si elle poussait des œufs avec le balai et Pichette, hier, pour rien, a attrapé deux baffes. Il a braillé.

— J'ai rien fait ! C'est pas juste !

Florette lui a passé la main dans les cheveux et, comme il pleurait, elle a pleuré aussi, sans bruit.

— Tu ferais mieux de garder tes larmes, a dit maman.

— Avant on s'amuse et après on pleure, a dit papa.

Vers les trois heures de ce dimanche, Louis le fiancé est arrivé sur sa moto pour emmener Florette se promener. Elle était prête et il n'est resté que cinq minutes et n'a pas beaucoup parlé avec maman et papa. Sa moto est magnifique et Pichette espère que Louis l'emmènera faire un tour. Ils allaient partir, Florette et lui, quand maman a demandé :

— Vous croyez que c'est prudent de monter sur une moto, dans l'état où elle est ?

— Ça risque rien, a répondu Louis.

Il a donné un coup de talon sur le démarreur. Florette lui a passé les bras autour de la taille et ils sont partis.

— Et si elle le perdait, à force d'être secouée sur cette moto ? a dit maman.

— Ce serait pas une grosse perte, a répondu papa.

Maman a haussé les épaules.

— Quand c'est fait c'est fait. Il reste du café, tu en veux ? Moi, je vais en prendre une autre tasse. C'est notre fille. Et s'il avait dit, ce garçon, que ce n'était pas de lui ? Qu'est-ce qu'on aurait fait d'un petit bâtard ? On l'aurait tué peut-être ?

— Non.

— Après tout, il a une situation.

— Tu l'as vue, sa situation ? Un cagibi où il bricole trois motos.

On aurait dit qu'ils avaient oublié la présence de Pichette qui lisait un illustré mais gardait l'oreille ouverte.

— C'est un métier. Et si ça lui plaît...

— Ah ça oui, ça a l'air de lui plaire. Il faut le voir avec ses bras pleins de graisse jusqu'aux coudes ! On ne voit même plus son tatouage. Tatoué ! Quand je pense qu'elle va se marier avec un type tatoué ! Ça, on peut dire que ça fait bon genre !

— Ça ne s'enlève pas ? a demandé maman.

— Non, tu en as pour la vie. Son aigle sur le bras, il le gardera toujours.

— Il peut porter des manches longues.

— Voilà ! Il tripotera ses motos avec des chemises jusque-là ! Tu dis n'importe quoi, Jeannette !

— C'est quand même pas parce qu'on est tatoué qu'on est un assassin, non ?

— Non, mais c'est comme ça qu'on déshonore les filles.

— Mais puisqu'ils vont se marier ?

— Tu le défends, maintenant ?

— Je dis que ce qui est fait est fait.

A l'école, Cachou recommence :

— Tu sais pourquoi elle se marie, ta sœur ? Y'a pas que moi qui le dis. Y'a ma mère, ma tante, tout le monde.

— Nous aussi, disent deux autres copains qui se sont approchés et qui se tapent sur le ventre.

— Si tu dis que tu le sais, dit gentiment Cachou, je louche pendant que tu comptes jusqu'à cinquante. D'accord ?

— Elle va se marier parce qu'elle va avoir un petit.

Cachou, stupéfait de l'aveu prononcé calmement, s'en arrête de loucher. Pichette ajoute :

— Et vous savez ce qu'il fait, le fiancé de ma sœur ? Il répare des motos, à Perpignan, et bientôt il sera coureur.

— C'est pas vrai, dit Soulas qui a tout le temps des verrues.

— T'as qu'à aller à Perpignan et tu verras, vieux con. Je te donnerai la rue et le numéro. Il répare des motos et il connaît Gimenez qui a fait le Tour de France.

Cachou est estomaqué. C'est quelqu'un le fiancé de la sœur ! Mais Pichette, qui sent qu'il est en train de remporter une formidable victoire, dit :

— Et je vous signale qu'il est tatoué. Un aigle sur le bras gauche et une étoile sur le bras droit. Non, je me trompe, c'est le contraire. L'aigle, ici, et l'étoile, là.

Il remonte les manches de sa veste et, du doigt, désigne ses avant-bras. Triomphe complet.

Le soir, il dit à Florette, en cachette des parents.

— Je sais que tu vas avoir un petit.

— Qui t'a dit ça ?

— A l'école. Cachou et les autres. Mais maman te défend et moi aussi.

— Tu n'as qu'à leur dire que je me marie et que tu les embêtes.

— T'en fais pas. On te défend.

— Qu'est-ce qu'elle a dit, maman ?

— Elle a dit que Louis avait une bonne situation et papa a dit : « Tu le défends ? »

— Et maman a dit oui ?

— Oui.

— Et papa ne s'est pas mis en colère ?

— Non. Tu es contente ?

— Oui.

— Et Louis, il est content de se marier avec toi ?

— Oui, sinon il m'aurait laissé tomber.

— De la moto ?

— Mais non, imbécile, il m'aurait laissé tomber comme ça !

Elle ouvre les bras comme si elle lâchait une assiette. Elle l'embrasse et lui dit d'aller se coucher.

Ça va mieux, à la maison. A table, on parle et même,

de temps en temps, Louis vient dîner. On se marie dans dix jours. A l'école aussi, ça va mieux. Cachou, Soulas et les autres n'embêtent plus Pichette. Au contraire, ils lui demandent si Gimenez viendra courir, pour la fête. Un type qui a fait le Tour de France, il y aurait du monde.

— On verra, a dit Pichette.

Le soir même, Louis est venu dîner à la maison et, à la fin du repas, comme papa, pour la première fois depuis qu'on connaît Louis, a dit : « Il faut quand même qu'on prenne un petit verre, les enfants ! », Pichette a compris que tout allait bien et a demandé à Louis :

— C'est vrai que tu connais Gimenez ?

— Oui, c'est un copain. On est allé à l'école ensemble.

— Gimenez du Tour de France ?

— Oui. Des fois, je l'entraîne avec ma moto. Je roule et il me suit.

— Et il viendrait pas courir pour la fête, si tu le lui demandes ?

— Oui, c'est une idée. Tu en as envie ?

— Oh oui ! L'école aussi.

— Vous connaissez Gimenez, à l'école ? Vous l'avez vu courir ?

— Non, mais on a sa photo dans le Tour de France, avec son gros nez.

— Ça, c'est vrai. Il a un nez comme une pioche.

Louis rit. Papa aussi, en remplissant les petits verres. Florette dit doucement en désignant son frère du menton :

— On l'a embêté, à l'école.

— Et pourquoi ? demande papa.

— A cause de...

— Ah oui, je comprends. Et maintenant, on t'embête toujours ?

— Non, c'est fini. (Il se tourne vers Louis.) Je leur ai dit que tu connaissais Gimenez, que tu étais tatoué et que tu faisais du cent avec ta moto.

Louis a réfléchi en prenant la main de Florette.

— Tu vas à l'école, demain ?
— Oui, c'est pas jeudi.
— Bon, alors, on va leur faire une surprise à tes copains...
— Quelle surprise ?
— Tu verras.

Le lendemain, onze heures. La cloche sonne. C'est la sortie et que voient les garçons ? et qu'est-ce qu'il voit, Pichette ? et qu'est-ce qu'ils voient, Cachou qui louche, Soulas avec ses verrues et tous les autres ? Ils voient une moto qui brille, Louis avec les bras de chemise remontés au-dessus des tatouages, les mains sur le guidon et, derrière lui, assis, Gimenez, en chair et en os, avec son nez. Pichette est devenu tout rouge.
— Hé, viens ! lui crie Louis.
Il s'avance, comme un somnambule.
— Allez, on t'emmène, petit ! lui dit Gimenez.
— Assieds-toi devant moi, sur le réservoir. Tiens-lui le cartable, Gimenez.
Ça y est. Et la moto démarre. Dans un tonnerre. Sur le trottoir, ils sont tous comme des statues. Et la moto, là-bas, file et disparaît.
— Putain, c'est vrai ! murmure Soulas.
— Oui, dit Cachou, c'était Gimenez.

Un amour d'Alphonse

D'abord, ils ne parlent pas avec l'accent d'ici. Ils ont l'accent parisien et on dit qu'avant ils étaient à Bordeaux. Ensuite, ils ont fait repeindre le café et installé des glaces au-dessus des banquettes. Enfin, ils l'ont débaptisé et il s'appelle maintenant « Café des Amis » au lieu de « Café Bridou ». Lui, le patron, c'est Henri, elle — à la caisse mais elle sert aussi les clients — c'est Julie. « Une beauté ! » ont dit tous les anciens habitués de Bridou. Et non seulement ils sont venus en masse au Café des Amis mais, à cause de Julie, d'autres clients sont arrivés. Il faut avouer que, dans le village, on n'avait jamais vu une femme aussi jolie. Elle porte des talons hauts, elle a une taille comme ça, une poitrine qui s'avance sous le nez des clients, des fesses qui s'en vont en remuant et des mollets qu'elle montre sans se gêner. Elle est maquillée, bien frisée et les ongles peints en rouge. Elle rit et, quand on lui fait des compliments, elle dit : « Allez, les hommes, tous pareils ! »

Alors, dans le village, tous les hommes se sont transformés en coqs et jamais le coiffeur n'a autant travaillé. Les femmes, elles, n'ont pas mis longtemps à s'apercevoir du changement car jamais les maris, les fiancés, tous les hommes n'avaient autant aimé aller jouer à la belote, à la manille ou au billard. Aussitôt, sans que l'on sache comment elles l'avaient décidé et comment elles étaient tombées d'accord, toutes les femmes, sans exception, ont dit que Julie était une traînée ; qu'il valait mieux ne pas savoir d'où ça sortait ; que tout le monde sauf le train avait dû lui passer dessus ; que son Henri fermait les yeux et que ça l'arrangeait, pour le commerce, de porter des cornes. Julie sait qu'on raconte toutes ces choses mais on dirait que ça lui donne encore plus envie de changer de robes, de se maquiller et de rire. Qui vient au café, les hommes ou les femmes ? Les hommes. Donc, qu'est-ce que ça peut lui faire tout ce que disent les femmes ? Elles sont jalouses ? Qu'elles le restent !

Et même à l'école, dans la classe des grands, on parle de Julie. Surtout Alphonse, le fils du boucher chez qui elle va acheter la viande. Son père lui donne les meilleurs morceaux, en clignant de l'œil, sans que sa mère s'en aperçoive. Il est grand, le père d'Alphonse. Une moustache blonde, les yeux bleus, le tablier toujours impeccable et, quand il aiguise ses couteaux, il se tient droit et regarde la clientèle, pas méchamment, mais l'air fier comme s'il était un général. Mme Lamour, la bouchère, est aussi jalouse de Julie mais n'en dit pas de mal parce que c'est une bonne cliente. D'ailleurs, assise derrière la caisse, elle surveille son mari.

Oui mais il est rusé, Pierre le boucher. Quand Julie entre dans la boucherie, même s'il a le dos tourné, il sait qu'elle est là, à cause de son parfum. Elle dit « Bonjour... » et il attend encore un peu avant de se retourner.

— Alors, qu'est-ce que je vous donne aujourd'hui ?

Julie, encore plus rusée, fait semblant de ne pas savoir.

— Je ne sais pas. Qu'est-ce que vous me conseillez, madame Lamour ?

Voilà la ruse, elle demande conseil à la bouchère !

— Ça dépend de ce qu'aime votre mari. La dernière fois, qu'est-ce que vous avez pris ?

— Des côtelettes.

— Il aime le pot-au-feu ?

— Je ne suis pas très forte pour le faire. Qu'est-ce que vous y mettez, vous ?

Mme Lamour explique sa recette, la note sur un papier

et, pendant ce temps, Julie et le boucher se regardent. Quand Alphonse est là, elle dit : « Quel garçon vous avez là ! Il faudra que les filles fassent attention quand il sera plus grand ! » Et Alphonse, qui a l'œil, s'aperçoit que, lorsque son père coupe la viande, il tourne le dos au comptoir parce qu'il sourit à Julie.

Elle est rusée. Maintenant, chaque fois qu'elle va à la boucherie, elle dit qu'elle a d'autres courses à faire mais qu'elle repassera pour prendre le paquet. Jusqu'à ce qu'un jour, la bouchère lui dise :

— Mais non, ne repassez pas. Ça vous fait un détour. Alphonse vous apportera le paquet !

Et Alphonse, deux fois par semaine, apporte le paquet.

— Ah ! Voilà mon petit boucher.

Elle l'embrasse, il rougit et ils bavardent.

— Quelle belle viande ! Mais comment il se débrouille, ton père, pour être le meilleur boucher ? C'est lui qui choisit les bœufs, les agneaux ?...

— Oui, c'est lui.

— Et où va-t-il ? Chaque semaine, il va choisir ?

— Des fois à l'abattoir. Des fois dans les fermes du côté des Corbières.

Ainsi Julie connaît-elle les trajets, les lieux, les heures du boucher et roule-t-elle à bicyclette en dehors du village. « Il faut que je fasse du vélo de temps en temps, a-t-elle dit au mari, sinon mes jambes gonflent à force de rester debout. »

A l'école, Alphonse se vante d'être le copain de Julie et tous les grands en ont un coin bouché. Parce que c'est vrai. Quand ils passent devant le Café des Amis, où ils n'osent pas entrer mais font semblant de regarder, à travers les vitres, les joueurs de billard, Julie, la plus belle femme du monde, envoie un baiser à Alphonse en l'apercevant avec ses copains. Il est donc exact qu'Alphonse a une touche. Il s'en vante d'ailleurs et dit des grossièretés colossales à la bande, qui lui pose des questions encore plus grossières, avec des détails qu'il invente au fur et à mesure. Conclusion : Julie est amoureuse de lui.

Maintenant, c'est sans qu'elle l'en prie qu'il renseigne Julie sur les déplacements de son père et joue le messager sans avoir l'air d'être au courant. En réalité, il l'est. Il a compris et s'est aperçu que son père, désormais, quand il prend la camionnette pour aller « aux bêtes » (comme il dit), se rase de près, se peigne et change de chemise.

— Tu deviens coquet, lui a dit la bouchère.

— Il faut faire bonne impression. Si tu es propre, tu as l'air d'arriver de la ville et ils te respectent. (Il rit.) Je crois que, si je mettais une cravate et un gilet, ils m'embrasseraient les mains.

Elle ne soupçonne rien, la mère d'Alphonse. Lui, il soupçonne tout et même il sait tout parce que, pile avant que son père monte dans sa camionnette, une demi-heure auparavant, Julie est déjà partie sur son vélo et pédale vite, genoux serrés, ce qui n'empêche pas qu'on voit ses jambes parce que ses robes sont trop courtes. Et quand son père revient, malgré l'odeur forte de la viande, Alphonse reconnaît, dans la camionnette, le parfum de Julie. Il est très fier. Bien sûr, c'est avec son père que Julie s'amuse, peut-être toute nue (et, à imaginer ça, la tête lui tourne) ; mais, après tout, que ce soit son père ou lui, c'est pareil. Enfin, presque.

— Tu crois que le petit a deviné ? demande Julie au boucher.

— En tout cas, il ne dit rien à sa mère.

Elle rit :

— Tu sais pourquoi ? Parce que je lui fais de l'œil, à ce fripon.

— Ce sera un gaillard comme moi, pas vrai ? dit-il en embrassant Julie.

— Alors, madame Julie, c'est vrai que vous allez avoir un bébé ? demande la bouchère de bonne humeur.

— Eh oui, madame Lamour.

— Il y a longtemps que vous êtes mariée ?

— Deux ans.

— Vous avez bien raison. Il ne faut pas trop attendre quand on veut avoir des enfants.

M. Lamour découpe deux tranches de faux filet.

— Oh ! elles sont trop épaisses ! dit Julie.

— Non non, madame Julie, quand on va être maman, faut manger de la belle viande.

— Et c'est pour quand, ce petit ? demande la bouchère.

— Pour juillet.

— On est bien content pour vous. Pas vrai, Alphonse ?

— Oui oui, bafouille Alphonse.

Sa mère dit en plaisantant :

— Si vous voulez, madame Julie, on l'inscrit comme parrain.

— Et pourquoi pas ? répond Julie en riant.

En juillet, le petit Lucien est né. En août, il y a eu le baptême et, bien sûr, Alphonse était invité puisqu'il était le parrain. Et sa mère aussi. Et son père aussi, qui était très content et qui, à la fin du repas, a chanté une chanson.

Le miracle

— Ecoute-moi bien, a dit Mémé à Jeannot.

— Oui, Mémé.

— Mais c'est un secret, tu sais. Tu ne diras rien à personne ? Si tu ne dis rien, je t'achèterai une bicyclette.

— Je dirai rien. Je le jure.

Alors Mémé, qui chaque jour lit son Missel, dit à Jeannot que M. le Curé n'est pas un bon curé. Il ne croit pas aux miracles. Il les explique et, quand il a fini d'expliquer, c'est comme s'il n'y avait pas de miracles. Il a prétendu que les pains, Jésus avait voulu dire que c'était la bonté qui multipliait les choses. Les poissons, idem. L'eau changée en vin, ça signifiait qu'une mauvaise chose pouvait devenir bonne.

— Et alors ? Et les miracles, là-dedans ? Où ils sont ?

— Je sais pas, Mémé.

— Moi, je sais. Jésus a multiplié les pains et les poissons. Il a changé l'eau en vin et il a marché sur les eaux.

— Et comment il a fait pour marcher sur l'eau ?

— Et voilà ! Tu parles comme ce nouveau curé ! C'est un miracle, je te dis. Mais un de ces quatre matins, tu verras que ce curé expliquera qu'il y avait des rochers, dessous, qu'il y avait eu une inondation et que les disciples ne le savaient pas. Mais Jésus, oui. Il avait de l'eau aux chevilles mais marchait sur des rochers. Il dira ça, le curé !

— Et c'est pas vrai ?

— Malheureux ! Tais-toi.

Maintenant, le secret ! Jeannot, au cours des deux

dimanches qui viennent, est chargé de la quête, non ? Oui. Et il y a beaucoup de gens qui mettent des boutons, et pas des pièces, dans la petite corbeille, non ? Oh oui ! Et le curé est en colère, non ? Oui, oui. Et lui, Jeannot, ramène la corbeille dans la sacristie ? Oui. Mais comment ça se passe exactement ?

— Tu poses la petite corbeille où ?

— Sur la table de la sacristie.

— Et le curé n'arrive pas tout de suite.

— Non, il reste de la messe à dire.

— Alors, il ne sait pas encore ce qu'il y a dans la corbeille ?

— Si, un peu. On passe près de lui et il regarde pour savoir.

— Il jette un coup d'œil ?

— Oui, c'est ça. Quand il y a un billet, il est content mais il n'y en a jamais.

— Tant mieux !

Bien ! Mémé expose son plan. Jeannot se débrouillera, en revenant de la quête, pour mettre une poignée de boutons, une quinzaine, dans la petite corbeille. Le curé jettera son coup d'œil et sera furieux. Alors, toi, Jeannot, dans la sacristie, sans que personne te voie, tu mettras tous les boutons et toutes les petites pièces dans ta poche.

— Je les volerai, Mémé ?

— Non, c'est pas un vol. Au contraire. Attends...

Elle se lève de son fauteuil, se dirige vers l'armoire de sa chambre et revient avec une boîte à la main. Elle l'ouvre et il y a des pièces. Elle en prend une poignée et en compte quinze.

— Qu'est-ce que c'est, Mémé ?

— Des louis d'or. Ça brille, tu vois. Et ça vaut beaucoup d'argent. Je t'en donnerai et tu feras le miracle. A la place des boutons, des pièces trouées et des sous, tu mettras des louis dans la corbeille et, quand le curé reviendra pour se déshabiller, il n'y comprendra rien. Attends... que je réfléchisse... Et s'il te fouille ? Voilà, il y a une cachette dans la sacristie où tu peux vider la corbeille et mettre les boutons et les petits sous ?

— Oui, sous le buffet où il y a les robes.

— Bon, tu jettes la quête dessous. On balaie sous le buffet ?

— Non, jamais. Il touche presque le plancher.

— Bon, bon, bon. Tu jettes la quête dessous et tu mets les louis dans la corbeille.

— Mais il aura vu les boutons avec le coup d'œil.

— Justement ! Il te dira : « Jeannot, quand tu as eu fini la quête, qu'est-ce qu'il y avait dans la corbeille ? » Tu répondras : « Il y avait ces pièces, monsieur le Curé... » Peut-être il te demandera : « Mais qui les a données ? » Tu répondras que tu ne sais pas. Il te dira : « Mais c'est pas possible ! Quand tu es passé près de moi, j'ai vu les boutons ! Il y avait des boutons, non ? » Tu répondras : « Non, il n'y avait que ces pièces ! » Et c'est comme ça qu'il croira au miracle. Si des boutons se transforment en louis d'or, il ne racontera plus que Jésus n'était pas capable de ramasser des filets de poisson. Cette histoire va me coûter cher mais il y croira aux miracles, je te le promets, il y croira !

Le dimanche suivant, Jeannot a obéi point par point à Mémé. Quand il est passé près du curé, il a fait exprès de marcher lentement et le curé a vu les boutons. Il y en avait même plus que d'habitude. Il a eu l'air en colère. Vraiment ses paroissiens exagéraient. C'en était trop. Quand la messe a été finie, il a dit :

— Attendez un peu. Je dois dire quelque chose. (Il avait la voix sévère.) Mes biens chers frères, je vais vous dire quelque chose au sujet de la quête. Vous savez que lorsque vous versez votre obole, ce n'est pas seulement à votre curé que vous faites la charité mais à votre paroisse, à l'Eglise et à Dieu. A Dieu, d'abord. Mais il n'est écrit nulle part dans les Evangiles que le Seigneur a besoin de boutons. Au contraire, il est écrit que la robe de Notre-Seigneur était sans coutures. C'est tout ce que j'avais à vous dire. Merci.

Il y a eu un grand brouhaha dans l'église et les gens se sont regardés. Ils n'étaient pas fiers. Mémé, à force de sourire, n'avait plus de lèvres.

Dans la sacristie, ça s'est passé exactement comme Mémé l'avait prévu et Jeannot a répondu exactement ce que lui avait dit Mémé. Il a même été formidable. Le curé regardait, touchait les louis d'or, il les avait versés dans le creux de sa main.

— Le plus fort, c'est qu'ils sont vrais.

— Je peux partir, monsieur le Curé ?

— Oui, oui, va, mon petit. Non, attends... Dis-moi, si je te demandais de ne parler à personne de cette quête, est-ce que tu le ferais ?

— Oui.

— Il faut que tu me le jures.

Aïe ! a pensé Jeannot. Puis il s'est dit qu'il pouvait jurer puisqu'il ne raconterait tout qu'à Mémé et qu'elle savait, elle.

— Oui, monsieur le Curé, je le jure.

— Va, mon petit, va...

Le curé avait oublié de se déshabiller et continuait de regarder les louis. Cette fortune ! Il répétait : « Incroyable ! Personne n'a pu entrer dans la sacristie. Si, le petit Jeannot. Mais ses parents ne sont pas riches, sa grand-mère est pauvre et puis personne dans le village, personne évidemment ne donnerait quinze louis d'or. C'est impossible, impossible. C'est un mystère incroyable... » Il aligne les quinze louis, en trois rangs de cinq, sur le buffet. Il les regarde. Ils ne bougent pas. Ils ne disparaissent pas. Ils ne fondent pas. « Ça, dit-il, c'est un petit miracle... »

Mémé, elle aussi, a oublié de se déshabiller en attendant Jeannot. Elle sautille presque quand il arrive.

— Alors, qu'est-ce qu'il a dit ?

— Tout ce que tu avais dit, Mémé.

— Raconte-moi.

— Il m'a fait jurer de ne rien dire à personne.

— Tu as juré ?

— Oui.

— Tu as bien fait. Et après ? Comment était-il ?

— Comme ça.

Jeannot ouvre la bouche.

— Etonné ?

— Oh oui ! ça oui. Il a dit : « Le plus fort, c'est qu'ils sont vrais ! »

— Eh, bien sûr qu'ils sont vrais. Je sais combien il me coûte à moi, le miracle ! Il voulait presque ne pas y croire, pas vrai ?

— Oui, il touchait les pièces.

— C'est ça ! Comme saint Thomas ! Et moi je te dis qu'il le croira, maintenant, que Jésus a multiplié les petits pains ! Il le croira, cet imbécile !

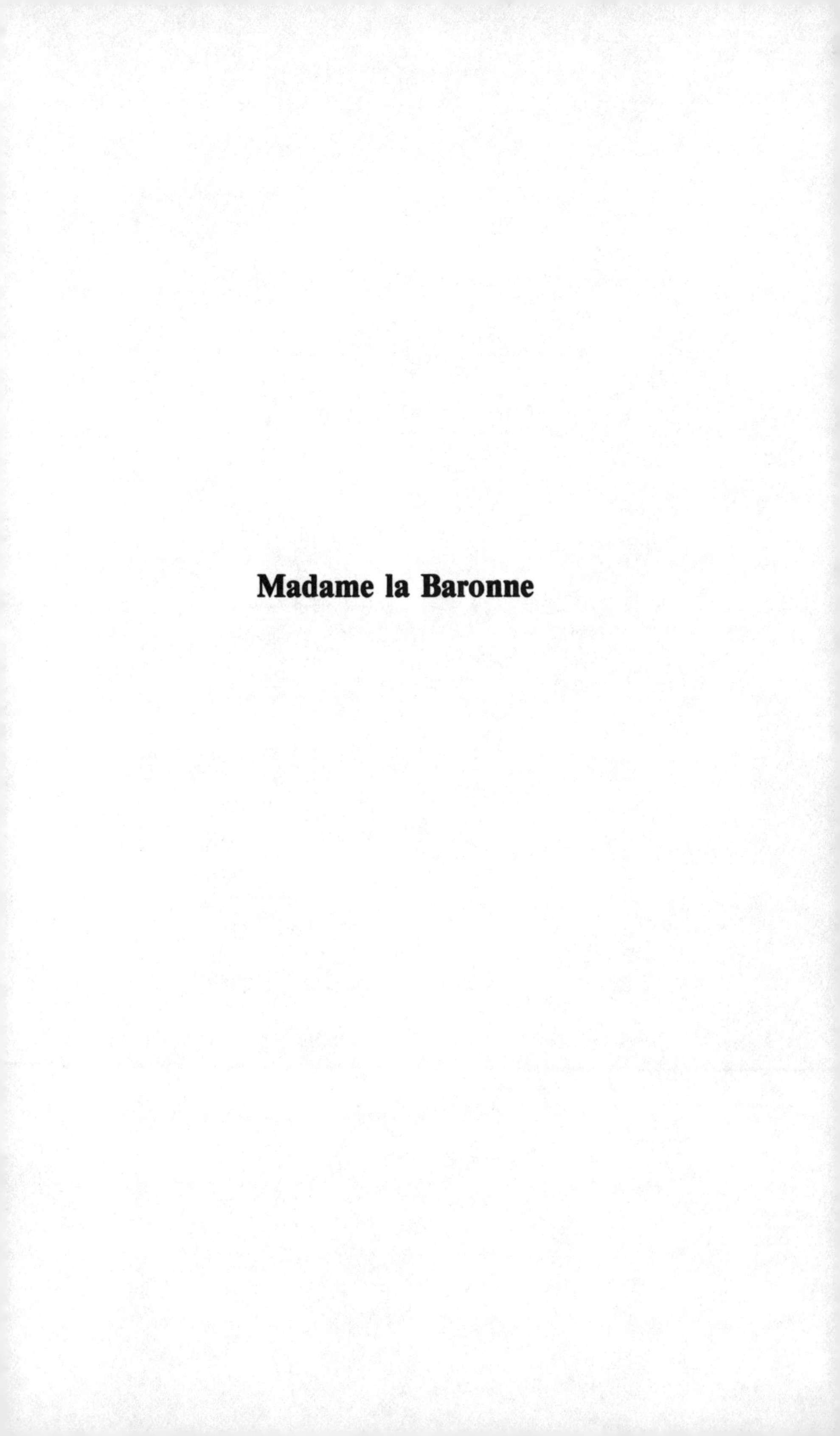

Madame la Baronne

Mme la Baronne, deux fois par an, avant Noël et avant Pâques, passe dans les maisons que lui a signalées M. le Curé et apporte des friandises aux enfants. Des friandises, des chaussettes, des mitaines, des cache-nez. Elle fait aussi livrer du bois coupé dans le parc de son château de Lasborde. « Vous êtes notre grande bienfaitrice », lui dit le curé. Cette année, chez les Rochette, qui ont quatre enfants, elle a dit en désignant Josette, l'aînée :

— Quel âge as-tu ?

— Quatorze ans...

Puis Josette s'est souvenue qu'il fallait toujours être polie et dire « madame la Baronne ». Elle a répété :

— Quatorze ans, madame la Baronne.

— Et qu'est-ce que tu fais ?

Le père Rochette, qui est laitier et a cinq vaches, a répondu qu'elle aidait dans la maison.

— Traire les vaches, nettoyer l'étable, s'occuper des deux cochons, laver les bidons à la fontaine, donner à manger aux poules, aller chercher de l'herbe pour les lapins, on n'est pas trop de trois — ma femme, moi et Josette — pour s'occuper de tout puisque les trois autres vont à l'école. Mais le second a onze ans et commence aussi à travailler dans la maison. Quatre, c'est dur à élever.

Mme la Baronne, qui avait posé son paquet, cadeau de Noël, sur la table couverte d'une toile cirée à petits carreaux bleus et blancs et toute sciée, s'est assise.

— Voilà, je vous fais une proposition au sujet de

Josette. Je suis prête à l'engager comme femme de chambre.

— Et votre Angèle, madame la Baronne ?

— Elle est bien vieille. Elle a soixante-quatorze ans et n'arrive plus à faire le service. J'ai parlé aux sœurs et elles vont la recueillir. Elle sera très bien chez elles pour passer sa retraite. Est-ce que vous voulez que j'engage Josette ?

— Elle n'a pas de trousseau, madame la Baronne, pour servir chez vous..., a dit Léonie, la mère.

— Ne vous en faites pas pour le trousseau de service, je lui en achèterai un. Elle sera nourrie, logée et je lui donnerai deux cents francs par mois.

Rochette était fou de joie. Josette cachait ses mains, un peu rouges à force de nettoyer les bidons à l'eau froide. Mais elle était contente. Servir au château ! Merveilleux !

— C'est d'accord ?

Rochette a regardé Léonie et tous les deux ont dit, presque en même temps :

— Bien sûr, madame la Baronne.

Mais Léonie a ajouté tout de même :

— Vous ne croyez pas qu'elle est un peu jeune ?

— Mais non, elle est très grande pour son âge et a l'air d'avoir dix-huit ans. Mais non...

— C'est le bon lait qui lui a donné des forces..., a dit en riant Rochette.

Et c'est comme ça que Josette est allée servir au château de Lasborde, qu'elle est devenue très propre et n'a plus senti la vache, qu'elle a porté des bas gris, une jupe noire et un corsage blanc, qu'elle a très vite appris tout ce qu'elle était chargée de faire, qu'elle s'est peignée avec soin, et, deux mois après, c'est comme ça qu'elle couchait avec M. le Baron. Elle ne l'a dit à personne. Ça lui plaît assez. Au début, pas trop. Maintenant, oui. M. le Baron ressemble à un cheval mais il est grand, gentil et se parfume. Bientôt, Mme la Baronne s'est aperçue de la chose. Le baron n'a pas nié. « Voyons, Laure... Je m'amuse. Quelle importance ? » Comme elle ne couche plus avec ce cheval depuis trois ans et que c'est elle qui, un jour, lui a demandé de faire chambre à part, elle ne lui a adressé aucun reproche. Josette ou une autre... Qu'il s'amuse. Et comme la fille continue d'être respectueuse et de faire très bien son travail, aucune importance.

Mais, à Pâques, Mme la Baronne a recommencé sa tournée des pauvres avec ses cache-nez, ses chocolats et ses gros morceaux de pain d'épice. Chez les Magoulier, c'était un peu la misère. Le père avait eu ses deux vignes gelées et la mère, au lit, souffrait comme d'une espèce de phlébite. Minette, la fille, dix ans, allait à l'école. Pierrot, le fils, quinze ans, était apprenti chez Louis, le minotier, mais ne gagnait rien. Louis avait dit : « Je le prends comme apprenti mais je ne lui donnerai quelque chose qu'à dix-sept ans... » Mme la Baronne a déposé ses cadeaux sur la table, dans la cuisine très propre. Les cuivres brillaient. La cuisinière noire avait été astiquée. Les briques lavées. « Mme la Baronne passera vous voir demain... », avait prévenu le curé et Irène Magoulier, du coup, s'était décarcassée pour que tout soit propre. Pierrot, Irène et Magoulier étaient debout et Mme la Baronne assise. Elle portait un chapeau dont la voilette lui descendait jusqu'aux sourcils et elle dit :

— Magoulier, vous avez un déjà grand garçon, le Pierrot, là, et du mal à joindre les deux bouts. Voici ce que je vous propose : nous le prenons, le baron et moi, à notre service, au château. Nourri, logé, blanchi et deux cents par mois pour débuter. Est-ce que ça vous irait ?

Magoulier regarde la baronne avec deux yeux incroyablement petits, noirs et ronds.

— Mais pour quoi faire, madame la Baronne ?

— Eh bien, mais... mais jardinier du parc, voyons ! Est-ce que vous acceptez ?

— Bien sûr, madame la Baronne, sauf que Pierrot n'a pas appris ça, je suis bien obligé de vous le dire...

— Il apprendra. D'ailleurs, ce sera vite fait. Le parc... Eh bien, il faut ratisser les allées, enlever les branches mortes, entretenir la pelouse, scier des bûches pour l'hiver... Des choses comme ça. C'est très facile...

— Alors oui... bien sûr, madame la Baronne...

C'est comme ça que Pierrot est allé servir au château, qu'il a porté des bottes, un grand tablier de toile solide, un chapeau de paille, qu'il a très vite appris à ratisser les allées, qu'il s'est brossé les dents chaque soir, et, deux mois après, c'est comme ça qu'il couchait avec Mme la Baronne. Au début, il s'est demandé si c'était vrai, puis il a trouvé ça bon après que Mme la Baronne lui eut donné des conseils. Elle, elle crie et se remue beaucoup. Il n'a rien dit à personne mais, bientôt, le baron a compris. « On s'amuse avec Pierrot, Laure ? » Elle n'a pas nié. Elle a dit : « Vous et moi avons nos mignons, n'est-ce pas ? » Il a henni.

Et puis Josette et Pierrot sont devenus amis et ont parlé ensemble.

— Tu fais des choses avec Madame, pas vrai, Pierrot ?

— Et toi tu fais des choses avec le baron, non ?

— Oui, a dit Josette.

— Oui, a dit Pierrot.

Ils ont ri et se sont raconté comment ça se passait. Bientôt, Pierrot et Josette, de plus en plus amis, ont décidé, en gardant le secret, de faire ensemble ce qu'ils faisaient avec le baron et la baronne et, comme ils avaient de l'expérience, ça s'est très bien passé. Pendant plus d'un an et Pierrot a encore grandi. Josette aussi.

Mme la Baronne est allée voir les parents. Elle avait dit au baron : « C'est moi qui dois leur parler. » D'abord, elle est allée chez les Rochette.

— Ecoutez-moi. Je n'irai pas par quatre chemins. Josette est enceinte.

— Mon dieu ! a crié la mère, et elle a pleuré.

— Quoi ? a crié Rochette. Et de qui ?

Mme la Baronne a haussé les épaules.

— De qui voulez-vous que ce soit ? De Pierrot, bien sûr.

Rochette a traité sa Josette de garce. La mère pleurait et pleurait. Mme la Baronne a parlé longtemps et les a calmés. Enfin, quand elle a dit qu'ils n'avaient aucun souci à se faire, qu'après tout Pierrot, pour son âge, était un homme, que Josette avait l'air d'avoir dix-huit ans et que le baron et elle avaient l'intention de doter le petit ménage...

— Quinze mille francs.

— Quinze mille francs, madame la Baronne ?

— Oui.

Ensuite, avec sa voilette et sur sa belle bicyclette, elle est allée chez les Magoulier. Pierrot a mis Josette enceinte, c'est pas grave, il a l'air d'un homme, quinze mille francs, etc.

— Mon mari et moi serons heureux d'être témoins du mariage.

— Merci, madame la Baronne.

C'est comme ça que Josette et Pierrot, enchantés, se sont mariés et, six mois après, le petit est né. Superbe. Mme la Baronne a voulu en être la marraine. Après le baptême, elle a dit au baron : « Encore une chance qu'il ne te ressemble pas ! » Et il lui a répondu : « Encore une chance que ce soit arrivé à Josette et pas à toi... » Avec les quinze mille francs, les Magoulier et les Rochette ont acheté une petite ferme au jeune ménage. Une ferme-laiterie. Huit vaches. Douze cochons. Josette et Pierrot, pas fainéants, travaillent dur et sont contents, chaque soir, de dormir dans le même lit.

Le Veuf parle l'américain

Quand « le Veuf » est mort, personne n'a voulu acheter sa maison pleine de rats ou y habiter. Le Veuf, tout le monde le savait, était sorcier. Il avait un concurrent, dans le village, le Grand Boiteux, mais il était meilleur. Il expliquait tout et racontait des histoires. Pourtant, il ne lisait rien, même pas le journal ou l'almanach.

— Asseyez-vous, les petits. Je vais vous expliquer comment Christophe Colomb a découvert l'Amérique. C'est simple.

— Avec une boussole ! a dit Toine.

— Avec des cartes ! a dit Justin.

Non, il n'y avait pas de boussoles, à cette époque, et les cartes étaient des dessins où il y avait n'importe quoi et surtout des mensonges.

— Et pourquoi ? a demandé Justin.

— Ah ! mais parce que c'étaient les curés qui les dessinaient et que ce sont des fainéants. Comme ils savaient qu'il y avait, en Amérique, des tas de païens, ils se disaient : « Si Christophe Colomb découvre l'Amérique, le pape nous enverra là-bas pour les baptiser et adieu la belle vie, ici, en France, où les gens nous donnent des jambons, du vin, des œufs et des confitures. »

— Il était français, Christophe Colomb ?

— Oui et non. Il y en a qui le disent. A l'époque, tout le monde était un peu français.

Alors, le Veuf expliquait comment il avait découvert l'Amérique.

— Parce qu'un Indien de là-bas le lui avait dit.

— Non, imbécile. Comment il serait arrivé, cet Indien ?
— Je sais pas.
— Quand on sait pas, petit, on écoute.
— Oui, le Veuf. Dites, pourquoi on vous appelle comme ça ?

Il se tait et allume sa pipe. On l'appelle comme ça parce qu'il avait une femme, il y a longtemps, qui s'est pendue. On a raconté aussi qu'elle ne s'était pas pendue mais que le Veuf l'avait étranglée puis suspendue à une corde. D'autres ont dit qu'elle était malheureuse parce qu'elle n'avait presque pas de cheveux. D'autres qu'elle avait fréquenté Ajalbert, un fermier, et qu'elle allait avoir un enfant de lui et pas du Veuf. Il y a tellement d'histoires sur cette jeune femme qu'on croirait qu'elle est morte dix fois. La pipe fume et il ne répond pas à la question de Justin.

— L'Amérique ! Bon... Comment il l'a découverte, Christophe Colomb ? Vous voulez le savoir ?
— Oui.
— A cause d'un oiseau. Un cygne.
— Il est monté dessus.
— Toine, tu ne dis que des bêtises. Tu as déjà vu un homme à cheval sur un cygne et en train de voler ? Et, à supposer, qu'est-ce qu'il aurait mangé, Colomb, pendant tout le voyage ? C'était un costaud, tu peux me croire.

Il y a, depuis le printemps, deux cygnes dans le bassin du square Gambetta. Des gens ont dit : « A quoi ils servent ? Qu'est-ce qui a pris à la mairie d'acheter des oiseaux ? Qu'est-ce que ça mange ces bestioles ? Du maïs, peut-être, mais qui le paiera ? Des pigeons blancs, d'accord, ça ne coûte rien. Mais des cygnes ! Ce nouveau maire, qui est jeune, veut être chic, voilà l'explication. » Mais d'autres ont estimé que les cygnes étaient magnifiques et que, depuis qu'ils étaient là, on avait un prétexte pour aller au square Gambetta se promener avec les enfants. Autrefois, on disait : « Allez, on va voir les poissons rouges ! » Maintenant c'est : « On va voir les cygnes ! »

— Le cygne, raconte le Veuf, est un oiseau migrateur. Il s'envole vers les pays chauds quand l'hiver arrive et revient quand il fait beau.

— Comme les hirondelles.

— Voilà, Justin. Très bien.

— Mais ceux du square, ils partiront, cet hiver ?

Pas du tout, explique le Veuf. Ils resteront parce qu'on leur a coupé le bout des ailes. Ils ne reviendront pas en Amérique. Du temps de Christophe Colomb, c'est ce qu'ils faisaient mais, bien sûr, depuis, beaucoup de choses ont changé. Donc Christophe Colomb avait remarqué que, quand l'hiver approchait, les cygnes, même quand ils avaient les ailes coupées, essayaient de partir.

— Bientôt, au square Gambetta, vous les verrez battre des ailes, s'envoler à peine, courir sur l'eau, faire dix mètres et retomber à l'autre bout du bassin. Et ils font ça toute la journée, sans se décourager, en croyant chaque fois qu'ils vont réussir à s'envoler.

— Vers l'Amérique ?

— Exactement. Comme s'ils avaient une boussole dans la tête. Alors, Christophe Colomb qui avait remarqué ça s'était acheté un cygne mais, malin, il ne lui avait pas coupé les ailes. Et quand il a embarqué, il l'a amené sur son bateau. Les marins ont cru que c'était pour le manger mais Colomb leur a dit : « Le premier qui touche au cygne, fusillé ! » Et maintenant, petits, qu'est-ce qu'il a fait, Christophe Colomb ? Vas-y, Toine.

Toine réfléchit, se nettoie le nez avec un doigt.

— Il a ouvert la cage du cygne. Il a regardé où il allait et a dit : « L'Amérique, c'est par là ! »

— Pas mal, pas mal. Mais, après, quand le cygne a disparu, comment il a fait pour rester toujours sur le bon chemin ? Y'a pas de routes, sur la mer. Il y a la nuit, les tempêtes, et un bateau, ça ne va pas droit. C'est comme un lièvre quand les chiens le poursuivent. Alors ?

— Alors, Veuf, je sais pas.

— Et toi, Justinou, tu as une idée ? Comment il s'est débrouillé, Christophe Colomb ?

— Il a coupé les ailes du cygne et l'a mis dans un bassin. Et le cygne faisait comme ceux du square et Colomb savait que l'Amérique était du côté où il voulait s'envoler.

— Pas mal, pas mal. Mais il n'y a pas de bassin sur les bateaux.

— Il en avait creusé un.

— Impossible. Les bateaux, à l'époque, étaient petits et, comme la mer les secouait, l'eau aurait été vidée de ton bassin. Alors ?

— Je sais pas.

Ça n'étonne pas le Veuf qui explique, et c'est pas compliqué. Chaque jour, Christophe Colomb sortait le cygne de la cage et, tout en le caressant, lui attachait une longue corde à la patte. Ensuite, il lui disait : « Allez petit, montre-moi le chemin ! » Le cygne, très content, s'envolait et, automatiquement, dans le ciel, tendait le cou vers l'Amérique. Colomb regardait la direction, tirait sur la corde, ramenait l'oiseau et le remettait dans sa cage.

— Pas plus compliqué que ça, les enfants. Quand on sait regarder les bêtes, on sait tout et, pour savoir où se trouve un pays, pas besoin de boussole.

— Veuf, demande Justin, les perroquets, ça vient aussi de l'Amérique ?

— Oui oui ! Absolument !

— Et on leur coupe les ailes ?

— Pas besoin, ils sont toujours dans leur cage ou attachés à un bâton par une chaîne.

— Celui de Mme Bosc est dans une cage.

La cage, très grande, est posée sur l'appui de la fenêtre ouverte et, chaque après-midi, le perroquet est tout seul pendant que Mme Bosc arrose les fleurs de son jardin, situé derrière la maison, et arrache les mauvaises herbes. Justin et Toine ont décidé d'ouvrir la cage, cet après-midi. Et le perroquet s'envolera vers l'Amérique. A cinq heures, il n'y a personne dans la petite rue et on ne les verra pas.

Le perroquet, rouge, vert, bleu, jaune, a regardé, l'œil rond sur lequel tombait de temps en temps une peau blanche, Justin et Toine ouvrir la cage et partir en courant.

Un quart d'heure après, Mme Bosc criait :

— Coco ! Où es-tu ? Coco ! Coco !

Elle criait, elle sanglotait presque. « Des gens » avaient ouvert la cage de Coco et il avait disparu. Est-ce qu'on avait vu son Coco ? Mon dieu ! Et les chats qui sont partout ! Mais pourquoi cette méchanceté ? Pourquoi avoir ouvert la cage de Coco ?

— Madame Bosc ! On l'a trouvé ! Venez, il est chez le Veuf !

Mme Bosc a couru si vite qu'elle a failli tomber.

— Coco est là ?

Il était là, perché sur l'évier, et le Veuf lui donnait des graines de tournesol.

— Dites, les fripons, c'est vous qui avez ouvert la cage du perroquet ? Je ne le dirai à personne.

Toine et Justinou ont fini par avouer.

— Et pourquoi vous avez fait cette méchanceté à la pauvre Bosc ?

— Pour voir si Coco s'envolerait en Amérique. Et puis, il est venu dans votre maison. Comment vous avez fait pour l'attraper ?

Le Veuf rit. Il dit que, quand il a entendu des gens

crier que Coco était parti, il a parlé américain, Coco a entendu et, voilà, il est venu chez lui.

— Vous parlez américain, Veuf ? demande Justin.

— Eh ! tiens, bien sûr que je parle américain ! Manquerait plus que ça !

Des pièges à lion

Tout le monde le sait que Firmin braconne. Et après ? Ce pauvre Firmin n'a qu'un œil et qu'un bras parce qu'il a été « un héros de la guerre de 14 » et, le 11 novembre, c'est lui qui porte le drapeau. Avec le bras droit, bien sûr. Il faut le voir, quand le clairon sonne « Aux morts », raide comme un piquet, avec toutes les médailles accrochées sur sa veste. On dirait une statue et, s'il n'y avait pas du vent qui fait remuer le drapeau, on le croirait. Le garde, Antoine Legastet, est lui aussi ancien combattant ; alors comment voulez-vous qu'il donne des procès à Firmin ? Des fois, il le rencontre et lui dit :

— Firmin, tu exagères. Tu m'obliges trop à fermer les yeux.

— Antoine, tu les a pas fermés, à Verdun, et moi non plus. C'est là qu'il fallait les ouvrir, non ?

— Quand même, c'est pas une raison. Combien tu en as, aujourd'hui, dans ton sac ?

— Quatre. T'en veux un ?

Il ouvre le sac et en sort un lapin qu'il tient par les oreilles.

— Tu le veux ?

Antoine est embêté. Que faire ? S'il prend le lapin, il est complice. S'il ne le prend pas, il est con.

— Je le prends mais c'est la dernière fois. Ce que tu fais là, Antoine, ça s'appelle corruption de fonctionnaire.

— Oh ! tu seras corrompu mais tu mangeras un bon lapin.

Pigasse et Mandelu voudraient bien devenir braconniers

au lieu d'aller à l'école mais Firmin leur a dit, quand ils lui ont demandé de l'accompagner :

— Primo, les pièges, ça se pose le soir et même la nuit, à cause du garde, et, à cette heure-là, vous dormez ou vous faites les devoirs. Secundo, vous êtes trop petits pour braconner. Tertio, si on est trois, ça fait de la concurrence. Alors, petits, pour le moment et tant qu'il me reste un œil et un bras, le braconnier, c'est moi.

— On vous aiderait pour ouvrir les pièges.

— Besoin de personne. J'y arrive avec mon seul bras. J'ai un truc.

Pigasse et Mandelu n'étaient pas contents.

Firmin n'a qu'un œil mais il est bon. Il voit tout. Il voit même tellement bien qu'il se demande si la force de l'œil qu'il a perdu, en 14, n'a pas augmenté celle de l'autre. Pour le bras, même chose.

Mais, ce soir, à la tombée de la nuit, qu'est-ce qu'il voit sur le chemin de la Roubine, là, sur la terre ? Il a plu, hier, la terre est un peu molle et il y a des traces. Enormes. De lapins ? Pas question, trop petites. De blaireau, de renard ? Non. C'est une bête beaucoup plus grosse. Comme celles d'un chien mais beaucoup plus larges. Un loup ? Y'en a plus. Une bête échappée d'un cirque ? Ça se saurait. Il suit la piste, sur une vingtaine de mètres, jusqu'au piège qu'il a posé, où elles s'arrêtent comme si la bête s'était perdue dans la garrigue. Il dit : « Et rusé avec ça, l'animal ! »

— Antoine, j'ai repéré des traces pas normales du côté de la Roubine.

— Des traces de quoi ?

— Justement, je sais pas. Jamais vu de pareilles. Grandes comme la moitié de ma main. Tu veux les voir ?

— Les moutons.

— Non. Le troupeau passe par là mais je n'ai vu que les traces d'une bête. Pas de dix, pas de cent, d'une !

— Le chien,

— Non. Comme la moitié de ma main, Antoine.

Sur ce, ils sont allés ensemble à la Roubine et Antoine a dit :

— C'est pas normal. Tu as raison, c'est pas normal. Et y'en a que là.

— Parce que, avant, tu as le rocher et, après, je comprends pas pourquoi, ça disparaît. Il file dans la garrigue.

Pigasse et Mandelu, qui s'étaient cachés, à plat ventre, sur la petite colline, derrière la Roubine, ont dit : « Ça marche. Ils n'y comprennent rien. On recommencera ! » Le lendemain, le garde est revenu avec son chien, Pompon, mais Pigasse avait mis un peu de poivre, invisible, sur le chemin. Pompon a éternué, a foutu le camp et est allé s'asseoir à cent mètres.

— Pompon, ici ! Viens me flairer ça !

Mais Pompon n'a rien voulu savoir et, quand Antoine a levé sa canne, il a filé à toute allure et est arrivé seul au village.

— Merde alors, si Pompon a peur...

Bien sûr, avec l'appareil que Pigasse et Mandelu ont fabriqué, il faut qu'il ait plu et que la terre soit molle. L'appareil, c'est trois grosses boules remplies de sable et, derrière, un gros clou recourbé. Tu poses sur la terre, tu appuies fort — mais tu calcules la distance entre les pattes —, tu tapes même, avec un caillou, sur les boules attachées l'une contre l'autre en triangle, et tu as les traces.

Il a plu. On y va ? On y va. Et Firmin, une fois de plus, découvre les traces, au même endroit.

— Antoine, la bête est toujours là. Un vrai lion. Et ça file vers la garrigue. Le troupeau n'était pas encore passé et j'ai vu les marques comme je te vois. On en parle aux autres ?

— Motus ! a dit Antoine. La battue, c'est toi et moi.

Ils ont pris le fusil, des chevrotines et Pompon mais le chien, de nouveau, a reniflé et foutu le camp. Sale bête. Ils ont marché et marché dans la garrigue mais rien, absolument rien. Pas de trou. Et pas de loup, de lion ou autre chose. Bredouilles.

Et une troisième fois, même histoire. Les empreintes, la frousse de Pompon et résultat zéro.

— On dirait qu'il ne sort qu'après la pluie, cet animal.

— Il sort après la pluie parce que tu vois les traces, andouille. Quand c'est sec, tu vois rien, pardi.

— Exact, a dit Antoine.

— On en parle aux autres pour une grande battue ?

— C'est ça ! Et les gens diront que je braconne avec toi, qu'on est complices, ils te repéreront ce coin où tu places des pièges et ça sera du propre !

— Juste ! a dit Firmin.

Sur la colline, Pigasse dit à Mandelu que ça marche de plus en plus et qu'ils vont devenir fous, les deux. Mais ça apprendra à Firmin à ne pas vouloir qu'ils braconnent avec lui. Vengeance !

— Ecoute, j'ai une idée, dit Firmin. Ecoute, voilà, tu sais ce que j'ai à la cave ?

— Et comment je le saurais ?

— J'ai dix pièges à loup. Des énormes. Comme ça.

— Et d'où tu les sors ?

— Des antiquités, figure-toi. Ils viennent de chez la veuve Sénéchal. Quand Sénéchal est mort, elle m'a dit : « Firmin, y'a des pièges à la cave. Des anciens. Ils sont rouillés mais, si tu veux, tu les prends. » Et c'étaient des pièges d'autrefois. A loup. Et je les ai pris, je les ai passés au sable, au papier de verre, je les ai graissés et ils sont comme neufs. Je les entretiens. Pour rien mais je les entretiens.

— J'ai compris. C'est d'accord.

Alors, à la première pluie, voilà le garde et le braconnier, chargés comme des ânes, qui ont filé vers la Roubine.

— Merde, a dit Mandelu, ils sont arrivés avant nous ! Et qu'est-ce qu'ils font ?

— Je sais pas. On dirait...

— Ils placent des pièges !

Tout à fait exact. Firmin et Antoine entourent le morceau de chemin avec six pièges et placent les quatre autres là où la bête bifurque, toujours, vers la garrigue. Puis, ils se frottent les mains. Du bon travail.

— Si cette fois on l'attrape pas, le lion !

— Dis pas de conneries, Firmin, c'est une bête bizarre mais pas un lion.

— Je sais, mais qu'est-ce que c'est ?

— Avec ça (Antoine désigne d'un geste large les pièges camouflés) on va savoir.

— Attention, ils en ont mis partout. Regarde ça ! J'avais jamais vu des pièges si gros.

— Qu'est-ce qu'on fait ? On les pique ?

— Non, y'en a trop. On les laisse.

— On les fait sauter ?

— Trop dangereux. S'ils te sautent à la gueule...

On a entendu les clochettes du troupeau qui entrait dans le village mais leur bruit était incroyablement précipité, comme si bélier, moutons, brebis et agneaux couraient à toute vitesse. Or, un troupeau, ça marche lentement... Et, c'était vrai, le troupeau courait derrière Pablo, le berger, qui remuait les bras comme un moulin et criait comme un ivrogne. Le chien, lui, n'avait jamais été à pareille fête. Il trottait, aboyait, mordillait le cul des moutons, alignait le troupeau comme un adjudant et l'obligeait à suivre l'allure folle de Pablo qui hurlait :

— El gardé ! Où c'est qu'al est el gardé ?

Et il se mettait à crier et à parler tellement vite qu'on

n'y comprenait rien, mais rien du tout, et comme il hurlait en espagnol, c'était encore plus difficile de savoir ce qu'il disait.

— Yo beu hablar el gardé ! El gaaardé !

Antoine est arrivé en courant presque malgré son ventre, la casquette de travers sur la tête et la veste aux boutons argentés, sur lesquels une trompe de chasse est gravée, à moitié boutonnée.

— Et qu'est-ce qui te prend, Pablo, d'amener le troupeau dans le village ? C'est interdit !

Mais le berger remuait sa canne, sautait en l'air et criait et parlait sans s'arrêter.

— Muertos... Los moutones... Corderitos... Oun crimé ! Muertos... Qui pagar yo... Moutones... Dios ! Muertos. Sangre. Bandidos... Clac ! Clac !... Enormés... Gardé ! Vamos !

Et il prenait Antoine par le bras.

« Bon dieu, a pensé Antoine, les pièges !... »

Trois petits agneaux, morts, la tête cassée ou le ventre ouvert. Et deux moutons pris aux pattes et que Pablo avait dû achever à coups de sa lourde canne plombée, en tapant comme un sourd.

Beaucoup de gens, bien sûr, ont soupçonné Firmin. Mais on disait en même temps : « Lui, c'est un spécialiste des lapins. Alors, pourquoi des pièges à loup capables presque d'attraper un ours ? Il n'est pas fou, Firmin, il a l'habitude. Et pourquoi dix pièges à loup sur ce petit morceau de chemin de la Roubine ? » Qu'en pensait le garde ? Il répondait : «Qu'est-ce que vous voulez que j'en pense ? C'est un malade qui a fait ça ! » Lui et le braconnier s'étaient juré de garder le secret à la vie à la mort. « Si on savait que c'est nous, mon vieux, on a beau avoir des médailles, on serait déshonorés... Toi, fini de braconner et moi rayé de la liste par la mairie et la Fédération. Déshonorés ! » D'autres disaient que c'était une vengeance contre Pablo le berger. Il était espagnol, trop de troupeaux venaient d'Andorre. Le garde et Firmin, comme ça, sans en avoir l'air, firent courir le bruit. Mais qui savait la pure vérité ? Pigasse et Mandelu qui crevaient d'envie de la dire.

— On peut pas, Pigasse, on serait envoyés dans la maison de correction.

Quand même, connaître pareil secret et la boucler, c'était dur. Pourtant, ils arrivèrent à tenir bon. Une autre personne savait : la veuve Sénéchal. Elle invita Firmin à prendre un petit verre.

— Alors, il paraît que c'étaient des pièges à loup ?

— Eh oui. Quelle histoire !

— Allez, va, Firmin, n'aie pas peur, je ne dirai rien.

Avec deux doigts, elle pinça ses lèvres.

— Quelle histoire !

— Mais pourquoi tu les avais placés tous au même endroit ?

Firmin raconta. La veuve Sénéchal lui conseilla de boire un peu moins d'anis.

Comme Pablo avait menacé de revenir avec d'autres bergers et de ne plus partir du village où on aurait vu ce qu'on aurait vu avec mille moutons dans les rues, le Conseil municipal vota un « dédommagement ».

— On ne peut pas faire autrement, expliqua le maire aux conseillers, ça s'est passé dans un endroit qui appartient à la commune. Il faut voter trois cents francs pour Pablo.

Et Pigasse et Mandelu, chaque fois qu'ils rencontrent Firmin ou le garde, prennent l'air idiot et demandent :

— Les pièges de la Roubine, vous croyez pas que c'était pour attraper des lions ?

— Foutez-moi le camp, petits voyous, crie le garde.
Firmin, lui, garde son calme.

— Non, peut-être des éléphants. L'autre nuit, c'était la lune nouvelle, et j'en ai vu un. Grand comme cette maison.

Les dessins de Loulou

Loulou, neuf ans, le fils de Mme Jolrasse, la repasseuse, a dessiné, sur une grande feuille de papier, l'ancienne maison de l'octroi, à l'entrée du village, près du lavoir. Personne ne l'habite. Elle sert de garage à Josephin qui, après la moisson, y met des balles de paille et, après les vendanges, des fagots de sarments. Loulou dessine pas mal.

— Qu'est-ce que tu fais ? lui demande sa mère. Montre-moi.

Il lui apporte le dessin. Elle pose son fer sur le trépied, regarde et dit :

— C'est très joli. C'est une maison.

— Oui, celle de l'octroi.

— Ah oui, c'est vrai, ça lui ressemble, dit la mère pour faire plaisir à Loulou.

Il va de nouveau s'asseoir, crayonne vite en tirant la langue et revient montrer le dessin.

— Regarde, maman.

— Mais qu'est-ce que tu as fait ? C'est tout rouge.

— Oui, j'y ai mis le feu.

— C'est du joli ! dit la mère.

Elle reprend son fer puis le pose parce que la sœur de Loulou, trois ans, pleure dans la chambre. Une vraie crise. Loulou s'en fiche. Il a fait un joli dessin. La mère crie :

— Va te coucher, Loulou. Tu as soupé et papa rentrera tard. Il mange avec les anciens combattants, ce soir.

Elle berce Jacqueline et Loulou obéit. Il va se coucher.

Le lendemain, tout le village en parle : la maison de l'octroi a brûlé pendant la nuit. Qui a mis le feu ? C'est un mystère extraordinaire. Marthe a appris la nouvelle en ouvrant les volets.

— Tu sais que la maison de l'octroi a brûlé cette nuit ? a dit la voisine.

— La maison de l'octroi ? Oh ! pas possible !

— Si, si ! Une vengeance contre Josephin, sans doute.

Sur le coup, Marthe n'y a pas pensé. Puis, ça lui est revenu. Le dessin de Loulou ! Jean était en train de se raser et a fait : « Ça alors ! Ça alors ! » en se tordant la joue sous le rasoir.

— C'est pas tout. Il faut que je te dise une chose.

— Pourquoi tu es pâle comme ça ? C'est toi qui as mis le feu ?

— Non, non, mais écoute. Hier, quand je repassais, Loulou faisait un dessin. Une maison. Il me l'a montré et il m'a dit que c'était la maison de l'octroi. Après, il a pris un crayon rouge et je lui ai dit : « Qu'est-ce que tu fais ? » Et tu sais ce qu'il m'a répondu ?

— Non...

— Il m'a répondu : « J'y mets le feu ! » Et cette nuit... Je trouve ça bizarre. Ça me fait peur.

Jean a haussé les épaules.

— C'est une coïncidence, pas plus.

Ce mot « coïncidence » a rassuré Marthe. Oui, mais que faire ? Tout à l'heure, Loulou va aller à l'école, et s'il se vante d'avoir, hier soir, foutu le feu à la maison de l'octroi sur un dessin ?

— Tous les garçons ont des imaginations.

— Ses copains diront qu'il se vante.

Marthe est allée chercher le dessin.

— Regarde !

— Et alors ? C'est tout rouge et on ne reconnaît même pas une maison.

— Mais il a dit : La « maison de l'octroi » !

— Et moi, je te dis que c'est une coïncidence.

Peut-être. Marthe, tout de même, déchire le dessin. Loulou s'est réveillé. Pleine forme. Il n'a pas parlé de son dessin. Il avait oublié. Marthe est restée bouche cousue.

A l'école, les copains lui ont dit :

— Tu sais qu'il y a eu le feu, cette nuit, et que la maison de l'octroi a brûlé ?

— Oui, a répondu Loulou, hier je l'ai dessinée et puis, au crayon rouge, je l'ai brûlée.

Borniquet, qui a toujours les chaussettes sur les souliers, a rigolé.

— Toi, même quand tu pètes, tu te vantes.

— Je te jure que je l'ai dessinée.

— Et moi, hier, j'ai dessiné un canard avec trois pattes et ce matin, en venant à l'école, j'en ai rencontré un.

Les copains ont rigolé. Loulou a dit :

— Vous me croyez pas ? Je m'en fous.

Marthe repasse. On n'a jamais su qui avait incendié la maison de l'octroi, le mois dernier. Marthe repasse et Loulou dessine.

— Regarde, maman. J'ai presque fini.

— J'ai pas le temps. Tu le finis et je le regarde.

Loulou s'applique.

— Ça y est.

Il se lève et montre fièrement le dessin à sa mère.

— Et qu'est-ce que c'est ? Des chevaux ? Des chevaux et une charrette ?

— C'est le corbillard. Et ça, tu vois, c'est le cercueil. Ça, c'est la croix.

— Le corbillard ?

— Oui. Et, dans le cercueil, y'a le mort.

Marthe a failli roussir la jupe qu'elle repassait pour Mme Reboul. Elle est pâle. Elle demande :

— Et qui c'est le mort ?

— Josephin. Sa maison a brûlé et maintenant, lui, il est mort.

— Mais... Mais... Il est mort quand ?

— Je sais pas, bientôt. Maintenant, je vais dessiner le curé, derrière le corbillard.

Marthe repasse la jupe n'importe comment. Elle pense à ce dessin. Elle regarde Loulou, tête penchée, joue rose et qui dessine. Mon dieu...

Le dimanche suivant, c'était l'ouverture de la chasse et on a appris la nouvelle à onze heures.

— J'ai entendu le coup de fusil et j'ai vu revenir le chien qui aboyait de façon bizarre. J'ai couru, y'avait pas cent mètres à faire et j'ai vu ce pauvre Josephin avec la tête à moitié emportée par-dessous, raconte M. Lelong. Il a voulu sauter la rigole, il a glissé en posant le pied sur l'autre côté, il est tombé et le coup est parti. On voit bien la glissade de son pied, sur la terre glaise, de l'autre côté de la rigole.

— Et toi tu crois encore que c'est une coïncidence ? Ta fameuse coïncidence ?

— Qu'est-ce que tu veux que je te dise ? Tu as vu le dessin ?

— Oui.

— Et il t'a dit : « Le mort c'est Josephin » ?

— Oui.

— Mais il a dit qu'il se tuerait à la chasse ?

— Non, ça non.

— Ah... bon.

— Attends !

Elle va, fouille dans la chambre de Loulou et revient avec le dessin.

— Regarde... Ça c'est les chevaux, et ça le cercueil. Tu vois ?

— Il faut savoir pour deviner. Moi, je vois un trait comme ça, des barres, une caisse et une roue.

— Mais il a dit « le corbillard » ! Il a dit Josephin ! C'est un sorcier, Loulou !

On ne le dirait pas. Il joue aux billes, dans la rue, avec son copain Fifi et, comme il y a quinze jours qu'il a dessiné le corbillard, il a oublié.

Depuis deux mois, Loulou dessine des choses qui ne font plus peur à Marthe. Des oiseaux, des fleurs, des souris rouges, de gros chats verts. Elle respire et puis, l'autre jour, il montre un dessin.

— Qu'est-ce que c'est ?

— L'église.

— Et où est le clocher ?

— Là, sur la place, il est tombé. Regarde, ça, c'est les pierres du clocher sur la place.

Marthe voit un tas, noirci au crayon.

— Et il y avait des gens sur la place ?

— Je sais pas.

Le curé a été étonné quand il a vu arriver Jean.

— Ecoutez, monsieur le Curé, moi, je suis maçon, et je vous dis que le clocher penche un peu. Il n'est pas solide. Il doit y avoir des pierres dérangées. Il penche, et si un accident arrivait...

— Qu'est-ce que tu me racontes ? Il a des centaines d'années, le clocher.

— Il penche, monsieur le Curé. Imaginez qu'il tombe après la messe...

Ils sont sortis sur la place et ont levé le nez.

— Tu vois bien qu'il est droit comme un I.

— Non...

Le curé a pris des passants à témoin et ils étaient tous là, nez en l'air, à regarder et à discuter. Tous de l'avis de M. le Curé. Ça ne penchait pas. Jean et le curé sont quand même montés là-haut. Pas une seule pierre pourrie ou dérangée.

— Tu as des visions, Jean.

Sur la place, les gens attendaient et quand ils ont vu les deux hommes redescendre — et le curé riait — ils ont pensé : « Jean a voulu couillonner le curé pour réparer le clocher qui n'en a pas besoin et pour se faire des sous... »

Mais, juste au début du mois de Marie, une nuit, vers les trois heures du matin, on a entendu un bruit terrible. Tout le monde s'est levé. Sur la place, le clocher en morceaux. Heureusement, à cette heure-là, les gens étaient tous au lit. Des experts sont venus et ont dit, on l'a lu dans le journal, que « la base du clocher, effectivement, comportait à l'intérieur des descellements importants de nature à provoquer un effondrement. A la suite de l'orage du jour précédant la chute, il était probable que ce descellement s'était aggravé et que... », etc. En tout cas, Jean, qui avait été le seul à prévoir l'accident, a vu sa réputation de bon maçon grandir énormément et a augmenté sa clientèle. Loulou, lui, avait oublié son dessin.

— Qu'est-ce que tu dessines, Loulou ?

— M. Cluzet nous a dit les vendanges. Avec du soleil. Voilà, j'ai fait deux dessins.

Marthe regarde. Sur l'un, des taches vertes et rouges et un grand soleil jaune.

— Celui-là, je le donnerai à M. Cluzet.

Sur l'autre, plus de taches vertes et rouges mais des boules noires.

— Et celui-là ?

— Celui-là, il ne le voudra pas mais c'est le bon.

— C'est tout noir.

— Oui, c'est l'orage et la grêle.

— Et les raisins ?

— Y'en a plus.

Jean, dès le mois d'août, en jouant aux boules, a laissé entendre qu'à son avis il grêlerait en septembre et que la vendange risquait d'être foutue si elle n'était pas rentrée à temps.

— Et tu le sais comment ?

— Les reins. Des semaines avant, quand ça va grêler, j'ai mal ici.

Pas vrai. Il n'a pas mal mais il pense au dessin.

— C'est pas possible de savoir des semaines à l'avance, dit Remusat en lançant le cochonnet.

— Et le clocher, c'était pas possible ? réplique Jean.

— Ça, il faut dire que tu avais vu juste.

A force de parler de la grêle, Jean a fini par mettre dans la tête de beaucoup une inquiétude et, en septembre, presque tous ceux qui ont des vignes ont vendangé cinq à six jours à l'avance. Le raisin n'était pas tout à fait mûr mais prudence, prudence !

Le lundi, quand un orage a éclaté et que les grêlons étaient si gros qu'ils ont cassé les vitres des serres et, dans les vignes, haché toutes les feuilles, Jean a respiré. Il répétait à Marthe, depuis le début du mois :

— Pourvu qu'il grêle ! Si Loulou s'est trompé, de quoi j'aurai l'air !

Loulou, lui, avait oublié son dessin.

La réputation de Jean est devenue formidable.

Maintenant, chaque jour, quand il rentre à la maison, il demande à Marthe :

— Loulou a dessiné ?

Marthe répond oui ou non. Quand c'est des fleurs, des bateaux ou des girafes, Jean s'en fiche. Mais quand il dessine une catastrophe, par exemple, cette semaine, des moutons et des chiens morts et, dans un coin de la page, une bête aux oreilles pointues...

— Qu'est-ce que c'est, Loulou, la petite bête, là ?

— Un loup.

— Un loup ? Il est petit.

— Non, alors c'est un renard. Et il a mordu les moutons et le chien.

... Quand il dessine une catastrophe, Jean va jouer aux boules et dit :

— A mon avis, il y a de la rage, dans le coin. On devrait faire une battue aux renards.

On l'a organisée. On a tué quatre renards. Sur les quatre, le vétérinaire a dit qu'il y en avait trois atteints de la rage.

Et maintenant, sur le terrain de boules, quand Jean parle, tout le monde écoute comme si de l'or lui tombait de la bouche.

Les enfants malheureux

Lisette, l'autre jour, alors que Louison apprenait sa récitation à haute voix — il s'est arrêté dès qu'elle est entrée dans la chambre —, lui a dit :

— J'ai une idée, Louison. Une idée pour s'amuser, jeudi.

Dès qu'on lui parle de s'amuser, Louison a les yeux qui brillent et ferme ses livres et cahiers à toute vitesse. On ne voit pas ses mains. On dirait qu'il en a une dizaine ou qu'un vent balaie la table.

— Elle est bonne ton idée ?

— Oh oui, je crois.

Lisette savoure l'idée pour que l'impatience de son frère grandisse.

— Dis-la.

— Elle est bonne, je te le jure !

— Pour toi et pour moi ?

Il veut dire : Est-ce que c'est une idée pour une fille et un garçon ? Il y a en effet des jeux auxquels seules les filles peuvent jouer. A la maman, par exemple. D'autres qui ne valent que pour les garçons, et, entre tous, la guerre.

— Elle est bonne pour toi et moi. J'ai pensé qu'on pourrait jouer aux enfants malheureux.

Ah oui ? Louison n'est pas très enthousiaste. Il ne comprend pas très bien ce que ça veut dire, jouer aux enfants malheureux. Il faudra faire quoi ? Pleurer, mendier, avoir froid et faim, être un petit aveugle, dire qu'on est battus à coups de tisonnier, coucher dans une forêt où on aura été abandonnés ? Tout ça n'est pas amusant.

— Si, c'est amusant, dit Lisette.

— C'est amusant quand c'est vrai, réplique Louison. Quand t'es pas aveugle, t'es pas aveugle. Et si t'as pas de bleus sur les jambes, t'as pas de bleus.

— On peut en faire avec de la peinture.

Louison hausse les épaules. A l'école, Cazabon montre souvent ses jambes rougies de coups de martinet. On voit les traces, nettes, sur les mollets et les cuisses, rouges puis blanches et gonflées. Ça, c'est vrai mais des marques de coups faites avec de la peinture...

— Ton sabre, il est en bois et quand vous jouez aux gendarmes et aux voleurs, les voleurs n'ont rien volé.

— Mais ce sont des voleurs.

— C'est pareil. On peut être des enfants malheureux sans être malheureux.

Louison rechigne. Il n'arrive pas à expliquer que c'est humiliant et, en gros, que Lisette a, là, une idée de fille. Les filles aiment être malheureuses, les garçons, non. Quand il attrape deux gifles, il est en colère, il est humilié mais pas malheureux. Comment expliquer ça ? Il n'y arrive pas.

— Tu n'as qu'à jouer à être malheureuse parce que je veux pas jouer avec toi à être malheureux.

Cette fois, c'est Lisette qui ne comprend rien à cette subtilité.

— Il faut qu'on soit deux.

— Pourquoi ?

— C'est mieux.

Elle voit des chemins de neige, sur lesquels errent un frère et une sœur se tenant par la main. Le vent souffle. Ils ont froid. Dans une cabane, ils mangent du pain dur et un chat maigre, qui se cachait dans la cheminée éteinte, vient se frotter à leurs jambes. Pauvre minet ! Ils n'ont rien à lui donner. Ou bien, ils mendient à la porte d'une église et comptent leurs sous quand tout le monde est sorti. Evidemment, il vaudrait mieux que Louison soit un tout petit enfant et qu'elle soit sa grande sœur. C'est elle qui mendierait en disant : « Pitié ! Il a faim ! La charité, madame ! »

— On mendierait..., dit Lisette, ravie.

— Où ?

— Partout, dans les rues, devant l'église et la tour Eiffel.

— La tour Eiffel, elle est à Paris.

— On traverserait toute la France en mendiant.

Louison comprend que sa sœur (mais il ne sait pas le dire avec des mots) est partie sur les ailes d'un rêve et plane. Elle a des rêves de grandeur, voilà. Il y a quinze jours, elle était la reine de Belgique parce que la reine de ce pays s'était tuée en auto et qu'on en a parlé à la TSF et à table, pendant une semaine. Surtout maman qui répétait : « Pauvre reine Astrid, elle était si jolie ! Quel beau couple ils formaient avec Léopold ! Ils avaient tout pour être heureux ! » D'ailleurs, tout le monde parlait de cet accident et pleurait la reine des Belges comme si elle avait été de la famille. Et Lisette lui avait succédé. Le roi Léopold, un bandeau sur la tête, avait frappé à la porte de la maison.

— Votre Majesté ! C'est vous !

— Oui, madame Cabrette, c'est moi.

— Entrez, asseyez-vous ! lui disait maman. Vous prendrez bien quelque chose, non ?

— Un verre d'eau fraîche.

— Non, Majesté, autre chose.

— Disons une limonade, murmurait le roi accablé.

— Un peu de muscat ne vous fera pas de mal, dans l'état où vous êtes !

Et maman, d'autorité, lui servait un verre de muscat.

— Triste état, madame Cabrette. Astrid !

— Oui, Majesté, nous avons bien compati. Elle ne méritait pas ça.

— Personne ne pourra me consoler de ce malheur.

A ce moment, Lisette entrait avec des fleurs dans les bras. Léopold la regardait. Elle rougissait.

— C'est ma fille, Majesté.

— Bonjour, disait Léopold. Tu es très jolie.

Il buvait son muscat et, enfin, demandait la main de Lisette qui acceptait et s'endormait dans son lit alors que Louison, à côté, dans l'autre lit, dormait déjà, en ronflant un peu à cause de ses amygdales. Et maintenant, elle ne veut plus être reine de Belgique mais mendiante ! Les filles changent tout le temps d'idées, pense Louison. Un jour, Lisette dit qu'elle est Jeanne d'Arc, un autre jour, petite sœur des pauvres, puis boulangère, puis reine, puis mendiante. Lui, Louison, il ne change pas. Pirate avec un foulard rouge et des bottes. Il a un bandeau noir mais uniquement pour faire peur. En réalité, il a ses deux yeux. Avant de s'endormir, il saute sur des bateaux, à l'abordage, et se bat en duel avec le capitaine.

— Non, dit-il, je ne veux pas mendier.

Lisette fait une concession.

— On pourrait être des enfants malheureux sans mendier. On serait abandonnés.

— Où ça ? Ici ?

— Non, loin. Dans un autre pays.

— Et l'école ?

— On n'irait plus. On serait abandonnés. Papa et maman seraient morts.

Elle voit l'église, Louison et elle qui pleurent et les gens qui disent : « Pauvres petits orphelins ! » Ils reviennent à la maison qui est vide. Dehors, il pleut. Ils décident de partir, loin, avec un baluchon sur l'épaule et, quand leurs souliers seront usés, ils marcheront pieds nus. Comme ils seront malheureux ! Mais Louison se bute. Il ne veut pas que son père et sa mère meurent. Il préfère attraper des rainettes, dans la mare de Lubac, avec Juju.

— Je vais aux rainettes.

— Non, reste !

— Juju m'attend.

— Tu en as déjà deux, dans le bocal. Maman ne veut pas que tu en attrapes d'autres.

— Maman est morte ! crie Louison en s'enfuyant.

Lisette est furieuse. Elle déteste son frère qui ne veut pas être malheureux. Il a préféré aller pêcher des rainettes plutôt que de jouer à un jeu passionnant qui lui aurait permis — à elle en tout cas — de se mettre un peu de noir sur les joues et le front, de porter une robe qu'elle aurait déchirée avec habileté et de se dépeigner soigneusement devant une glace. Dans les autres jeux, difficile de se déguiser, alors que si Louison avait accepté...

Va-t-elle y jouer seule ? Non, ce ne serait pas amusant.

Louison et Juju sont revenus de la mare de Lubac sans avoir attrapé de rainettes. Deux salamandres seulement, capturées dans un ruisseau, que Lisette n'a même pas daigné regarder.

— Elle est malade, ta sœur ? a demandé Juju.

— Non, elle veut être malheureuse.

— Malheureuse ? interroge Juju interloqué. Comment ?

— Mendier, porter des robes déchirées, avoir les pieds nus, elle est folle.

Louison hausse les épaules. Juju dit qu'il y a des mendiants qui se mettent de la colle sur les yeux pour faire les aveugles. D'autres qui se dessinent des blessures avec de la peinture, du cambouis et de la boue. Tu laves avec de l'eau et il n'y a plus rien. Tout ça, c'est facile. Mais Lisette, qui a entendu, réplique :

— Et les orphelins, ils ne sont pas malheureux, peut-être ?

— Peut-être, dit Juju, mais c'est pas facile d'être orphelin.

Lisette ne répond pas mais elle sait bien que Juju a raison. Ce soir, au souper, elle avait décidé de bouder mais maman lui a dit que, bientôt, elle l'emmènerait se faire trouer les oreilles pour qu'elle puisse porter des boucles et, après avoir appris cette nouvelle, comment bouder ?

— Au lit, les enfants, dit papa en se levant de table.

Maman les accompagne dans la chambre, plie les vêtements sur une chaise.

— Dormez vite. Bonne nuit.

Elle les embrasse, éteint la lumière et Lisette ferme les yeux. Alors, Léopold, tête bandée, revient à la maison. Toujours désolé à cause de la mort de la reine Astrid.

— Votre Majesté, c'est vous ?

— Oui, madame Cabrette.

— Comme on a pensé à vous quand ce grand malheur est arrivé ! Vous prendrez bien quelque chose ?

— Un verre d'eau.

— Non non, Votre Majesté, un muscat ne vous fera pas de mal.

— Si vous voulez, madame Cabrette, dit le roi d'une voix mourante.

A ce moment, entre Lisette, tenant un bouquet de fleurs serré sur la poitrine.

— C'est ma fille, Votre Majesté.

— Elle est très jolie, dit Léopold en buvant son muscat.

Puis il continue de parler de la reine Astrid en s'essuyant les yeux. Lisette attend puis lui offre les fleurs. Il la remercie mais ne lui demande pas sa main.

— Je n'oublierai jamais Astrid, dit-il en se levant.

Il s'en va et, dans son lit, Lisette est triste. Elle ne sera jamais reine. Cette fois, ça y est : elle a trouvé comment être une enfant malheureuse.

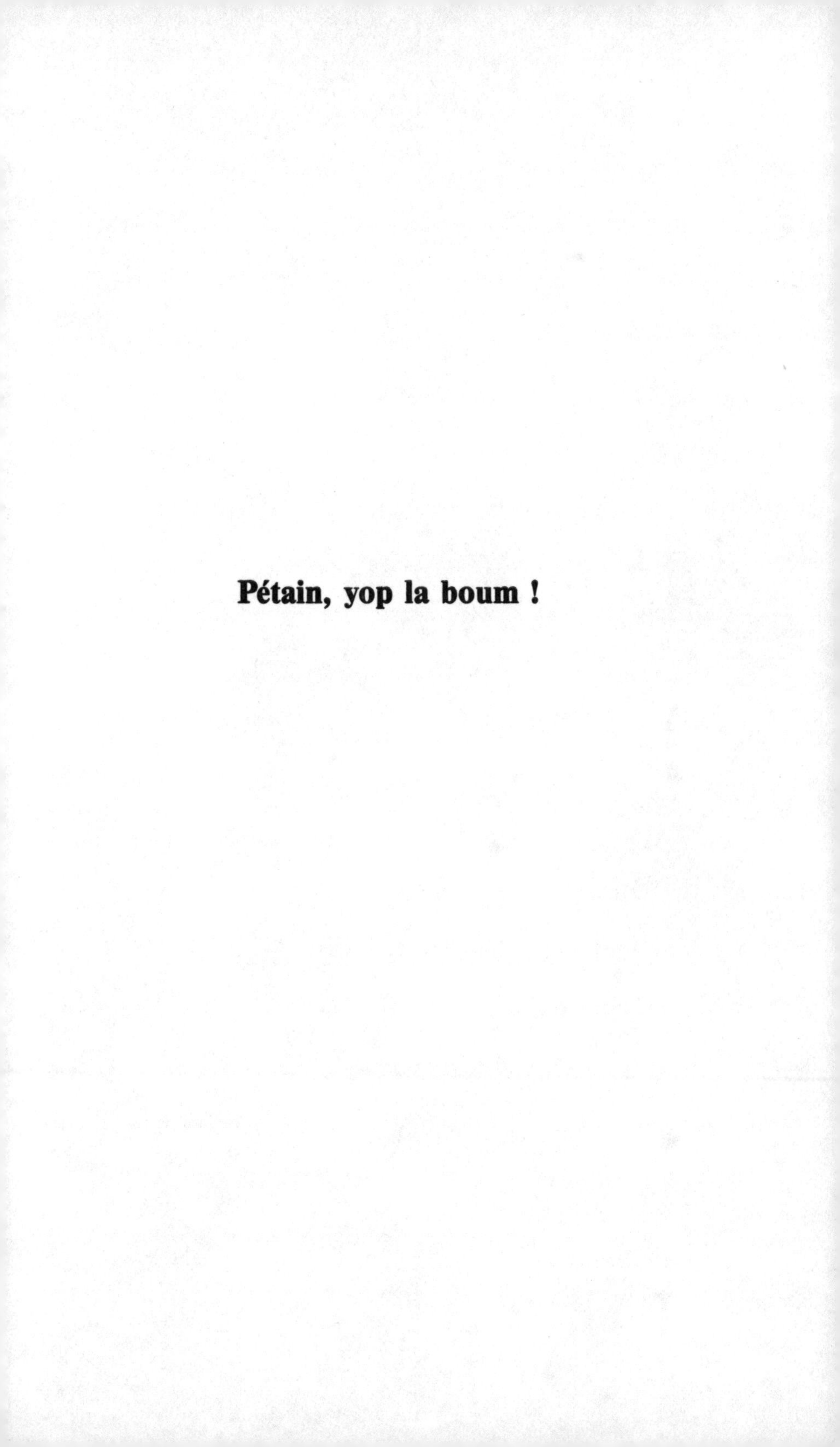

Pétain, yop la boum !

Chouquet, peut-être parce qu'on n'a pas voulu de lui au service militaire, d'abord n'est pas sorti de sa maison pendant plus de quinze jours et, ensuite, quand on l'a revu, n'était plus le même. Lui, autrefois toujours propre, les cheveux bien coupés, la chemise boutonnée, voilà qu'il ne se lavait plus et ressemblait à celui qui ramasse les peaux de lapin. Heureusement, il a repris son métier de rémouleur et, de ce côté-là, rien à dire. Il remoule toujours comme le Bon Dieu. Couteaux, ciseaux, serpes, hachoirs sont toujours impeccablement aiguisés. Si on l'avait pris, à l'armée, son régiment aurait eu les baïonnettes et les sabres les plus brillants de l'armée française. Mais il paraît qu'à la visite il n'a dit que des conneries au major. « Je voudrais être adjudant-rémouleur... » ou, — mais ça, c'est les autres qui l'ont raconté — à la question : « Combien font trois couteaux plus sept couteaux ? », il aurait répondu : « Ça dépend si c'est des couteaux de boucher, de ceux qui se ferment, du manche, de la lame... » En plus, il toussait et on lui voyait les côtes. Réformé ! A l'école, tous les garçons ont dit à Binette Chouquet :

— C'est vrai qu'il est réformé, ton frère ?

Binette n'a pas répondu mais, comme chaque jour on lui répétait la même chose et qu'à la fin on l'appelait « Bibi le Réformé », il a déclaré à Valras, le fils du frère de Valras, l'ancien gendarme :

— Je pourrais te casser la gueule parce que je suis plus fort que toi mais je vais te le dire pourquoi mon frère a été réformé. Il me l'a dit.

— Et il t'a dit aussi pourquoi il se lave plus ?
— Oui.
Les garçons ont formé un cercle autour de Binette, à la sortie de l'école. Il y en a même qui ont posé leur cartable par terre.
— Mon frère a été réformé parce qu'il y a des traîtres dans l'armée française. Et ils n'ont pas voulu qu'il soit soldat parce qu'il le sait et qu'il l'aurait raconté.
— Et qui c'est les traîtres ? a demandé Valras.
— Les chefs.
— Comment ils s'appellent ?
— Le plus traître de tous, c'est le général Gamelin.
Quelques garçons connaissaient Gamelin, les autres non. Mais l'affirmation de Binette, et surtout la révélation du nom du traître en chef, avait ébranlé l'assemblée. Il n'empêche : Chouquet devenait de plus en plus bizarre...

Brusquement, un jour, il a dit « vous » à tout le monde et « monsieur », « madame », même aux gens qu'il connaissait depuis toujours, même à ses anciens copains. Bon, si ça lui chante, ça ne fait de mal à personne. « Voilà vos couteaux, monsieur Ginestas... » « Avez-vous des ciseaux à aiguiser, madame Pauline ?... » On s'est habitué.

Ensuite, il s'est mis à répéter des phrases aux gens qu'il rencontrait. Il arrêtait sa carriole, s'avançait vers n'importe qui, se plantait bien en face et disait : « La Terre tourne ! » Pendant une semaine. Puis « L'eau bout à cent degrés ! » Puis : « Tout ce qui brille n'est pas or ! » Puis : « Une roue est ronde ! » Puis : « Après l'automne vient l'hiver ! » La phrase qu'il répétait le plus souvent était : « La Terre tourne. » Et il sautait en l'air parce que, disait-il, puisque la Terre tournait, quand il retombait, il ne se retrouvait pas à la même place. Ou bien, il marchait en arrière, sur place, et expliquait qu'il ne pouvait plus avancer puisque la Terre roulait sous ses pieds. L'incroyable, c'est qu'il continuait à remouler comme un champion. Bien qu'il soit devenu très poli. Quand on disait à Binette que son frère perdait la boule, il répondait : « Vous verrez, un jour, que tout ce qu'il dit est vrai. » Les copains en étaient d'accord, pour le moment, puisque, c'est vrai, la Terre tourne, l'eau bout, une roue est ronde et l'eau éteint le feu ; mais tout ça n'empêchait pas Chouquet de perdre la boule. A propos de boules, un jour, il arrive sur le terrain, à côté du Café de la République, et dit : « Je viens jouer. » « D'accord, Chouquet, je te prends avec moi ! » dit Moreno, celui de la scierie qu'il ne faut pas confondre avec Moreno le charretier. On lance le cochonnet, loin. Philibert place sa boule pile à côté. Un placement superbe. Chouquet frotte sa boule dans les mains, comme pour la réchauffer, avec son œil de furet fixé, là-bas. Il recule, deux pas en arrière, prend un élan, balance le bras et, splatch ! l'autre boule vole dans le grillage et Chouquet fait un carreau. Moreno crie : « Ça, alors, merde ! » et les types répètent : « Merde alors ! Ça, c'est du travail ! » Et dix carreaux dans la soirée ! Et quatorze boules placées ! On n'avait jamais vu ça. Il ne parlait pas. A la fin de la partie, il a dit :

— Vous avez compris pourquoi Gamelin m'a réformé ?

— Parce que tu sais jouer aux boules ?

— Parce qu'on aurait gagné la guerre.

— Quelle guerre ?

— Celle qui arrive. Demain.

Sur ce, il a ramassé ses boules, les a nettoyées avec un chiffon et a dit :

— Bonsoir. A la prochaine. Une guerre de perdue, dix de retrouvées.

Il a pointé un doigt vers le ciel et a dit :

— Demain, la guerre ! Quand on n'avance pas, on recule !

A partir de cette soirée, Chouquet est revenu jouer aux boules et, en juin, avec Moreno, ils ont gagné la coupe offerte par Byrrh. A l'école, Binette rayonnait. On avait oublié que son frère avait été réformé et ses exploits — surtout depuis la coupe Byrrh — éblouissaient toute la classe, même celle des petits. Et Chouquet, sur sa carriole, avait installé la coupe.

En septembre, la guerre a éclaté. Chouquet a voulu s'engager et est allé à la ville. Comme il a dit, au bureau, en mélangeant tout, qu'il avait été réformé, que la guerre était perdue et Gamelin le roi des traîtres, un capitaine l'a reconduit jusqu'à la porte et lui a dit de retourner dans sa cambrousse.

Beaucoup d'hommes du village sont partis. Pas Moreno, heureusement trop vieux, et Chouquet et lui ont continué de gagner et, en septembre, ont remporté la coupe des commerçants et des vendanges. Moreno voulait la garder pour lui, celle-là, mais Chouquet a tellement insisté qu'il la lui a laissée.

Et deux coupes sur la carriole ! Deux.

C'est la guerre sans morts dans le village et Chouquet remoule. Il est quand même emmerdant parce que, maintenant, il répète : « Faites remouler vos couteaux ! Entendez-vous ces féroces soldats qui vont venir égorger vos fils et vos compagnes ? Aux couteaux, citoyens ! Quand c'est perdu, c'est pas gagné ! » A l'école, les garçons ont dit à Binette :

— Ton frère est de plus en plus maboul, non ?

— Pourquoi ?

— Il gueule partout qu'on va perdre la guerre.

— Eh, dites, et Gamelin, vous oubliez qui c'est ?

— Mon grand-père m'a dit qu'il y avait la ligne Maginot. Pleine de canons, ils se touchent. Il connaît, ton frère, la ligne Maginot ?

— Il l'étudie, t'en fais pas.

Chouquet remoule et répète de nouvelles phrases. « En avril, quitte pas un fil. En mai, fais ce qu'il te plaît. En juin, tu perds la guerre ! » Ou bien : « Allons enfants, le jour de la raclée va arriver. Aiguisez vos couteaux ! En juin, tu perds la guerre ! »

— Il faudrait quand même le faire taire, ce toqué ! a dit Mme Couturier qui, justement, est couturière et dont le mari est « sur le front ».

— A quoi ça servirait ? a répondu Moreno.

— Oh ! vous, du moment que vous jouez aux boules avec ce fou...

En juin, on a perdu la guerre. Gamelin avait fichu le camp on ne sait plus où. Pétain a parlé. Les prisonniers vont revenir mais on a perdu la guerre et, bizarre quand même, ce maboul de Chouquet l'avait prédit. A l'école, Binette triomphe. Dans les rues, Chouquet, derrière sa carriole chargée de coupes, chante : « Pétain, yop la boum ! C'est le chéri de ces dames ! Pétain, yop la boum ! C'est le roi du macadam ! »

Il faut que je te parle...

« Il faut que je lui parle comme à un petit homme, presque comme à un adulte », a pensé la mère de Jeannot.

— Jeannot ?

— Oui, man.

— Il faut que je te parle.

Quand sa mère lui dit : « Il faut que je te parle... », Jeannot sait qu'elle s'assiéra et prendra un air un peu triste, un peu sévère et doux en même temps. Elle passera une main sur son front et ne sera pas bien habillée comme elle l'est le dimanche. Elle portera une robe où il n'y aura pas beaucoup de couleurs. En effet, Jeannot a du flair, quand on fait la morale à quelqu'un, il vaut mieux ne pas être habillé comme un clown. La morale, c'est noir ou gris. Ça n'est pas jaune, vert, bleu ou rouge. Et, quand l'instituteur ou le curé vous appellent pour vous dire qu'il faut faire le Bien ou travailler en classe, ils portent des habits d'enterrement. Ils ne sont jamais en bras de chemise. Un jour, Jeannot a vu le curé qui bêchait son jardin sans sa soutane. En pantalon et chemise bleue. Une autre fois, il a vu l'instituteur — qui avait emmené la classe se baigner dans la rivière — en maillot. Voir un instituteur presque nu, blanc comme une endive, les bras maigres et les jambes poilues, c'est triste. Par-dessus le marché, M. Delsol ne nageait que la brasse et ses fesses remontaient et ses talons sortaient de l'eau à chaque mouvement. Un instituteur qui ne nage pas comme un poisson ne devrait pas emmener les garçons se baigner à la mer ou à la rivière.

— Il faut que je te parle.

« Ce qui veut dire, pense Jeannot, que j'ai dû faire quelque chose. Mais quoi ? » Quelque chose de mal, évidemment. Mais quoi ? L'ennui, c'est qu'on fait toujours quelque chose de mal, à dix ans, et souvent sans s'en rendre compte. On ne le sait qu'après, quand les voix sont grosses et que les gifles pleuvent. Avant, non, on ne sait pas. « J'ai fait des bêtises ? » se demande Jeannot. Il passe en revue, à toute vitesse, les bêtises qu'il aurait pu commettre ces derniers jours. Hier et aujourd'hui, surtout, parce que les bêtises sont toujours récentes. Il est très rare qu'on lui dise : « Dis, la semaine dernière, est-ce que par hasard ce ne serait pas toi... » Quant à lui reprocher quelque chose qui s'est passé il y a un mois, ça n'arrive jamais.

— Il faut que je te parle...

Ça va. Ça ne doit pas être grave parce que sa mère n'a pas l'air en colère. Elle ne crie pas. Au contraire, elle est calme. Parce que la faute qu'aurait commise Jeannot, sans s'en apercevoir, est si énorme qu'il ne vaut même plus la peine de se mettre en colère et que sa mère est plus accablée que furieuse de l'avoir découverte ? Mais quelle faute ? Jeannot la cherche et ne la trouve pas. Non, sa mère n'est pas calme. Elle serait plutôt triste. Là, Jeannot connaît le truc. Quand elle ne sait pas comment le punir, son truc c'est de lui dire qu'elle est triste quand elle pense qu'il a pu se conduire comme il l'a fait. Son truc, c'est de le rendre triste, lui aussi, jusqu'à — si possible — l'obliger à pleurer. Elle dit : « Tu te rends compte ? J'ai honte, moi, ta mère. Que vont dire les gens ? » Elle dit des choses comme ça. Il lui arrive d'en avoir deux ou trois larmes aux yeux et Jeannot, pour lui prouver qu'il n'est pas un monstre sans cœur, renifle et s'efforce de pleurer aussi. « Jure que tu ne recommenceras pas ! » Il jure. Finalement, Jeannot a compris qu'il y a deux genres de bêtises. Celles qui lui valent des gifles sont les moins graves. Quand il s'agit des autres, sa mère pleure.

Aujourd'hui, pas de pleurs, pas de gifles. Que se passe-t-il ? Elle va enfin parler, oui ou non ? La mère regarde Jeannot. Elle aurait envie de le prendre dans ses bras et de l'embrasser mais elle se retient parce que, du coup, il comprendrait que c'est sacrément important ce qu'elle va lui dire. Elle se retient et fait mille efforts pour rester calme et conserver une voix douce. Par-dessus le marché, Jeannot est si droit, si tranquille aussi, devant elle, qu'il l'intimide presque. C'est un petit garçon et voilà qu'elle doit lui parler comme à une grande personne.

— Il faut que je te parle...

Comment lui annoncer que son père est parti avec une autre femme ? Comment lui expliquer pourquoi ? Comment ne pas exploser en criant que son père est un salaud, un menteur et un lâche ? Comment dire à cet enfant que son père a fichu le camp avec cette garce et les a laissés tomber, elle sa femme et lui son fils ? Ça paraît facile de décider qu'on parlera au petit, mais quand le petit est là, debout, avec son visage rond, ses grands yeux, sa tignasse en désordre parce qu'il vient de s'amuser avec ses copains, ça n'est plus du tout facile. C'est même effrayant. Et s'il demande : « Il est parti où ? », que lui répondre ? Et s'il demande : « Quand est-ce qu'il va revenir ? »

La mère pense qu'elle aurait dû supplier encore le père de rester et lui promettre n'importe quoi. Ou bien qu'elle aurait dû se suicider sans mourir. Ou bien qu'elle aurait dû aller voir cette garce et la menacer de la tuer. Elle a préféré jouer la fière. Elle a préféré dire : « Mais vas-y ! Je ne te retiens pas ! Tu veux qu'on se sépare ? Mais oui, je suis d'accord... » Et maintenant, c'est trop tard. Il est parti avec cette femme. Pourtant, s'il revenait, dans huit jours, dans un ou six mois, est-ce qu'elle n'aurait pas eu tort de parler à Jeannot au lieu de mentir en lui racontant n'importe quelle histoire ? Mais s'il l'apprend dans la rue, s'il entend des gens, des bruits... Si, à l'école, on lui demande : « C'est vrai que ton père est parti de ta maison et que tu es seul avec ta mère ? » Où est-il, son père, en ce moment ? Est-ce qu'il habite chez la garce ? Il va vivre avec cette salope ?

Jeannot commence à en avoir assez de ce silence. Qu'elle parle, à la fin. Tant pis ! Si j'ai fait une bêtise, je lui dirai que c'est pas vrai, que c'est pas moi, que c'est Paulo, que moi je voulais pas. Je baisserai la tête. S'il le faut, je pleurerai un peu. Déjà, il s'y prépare.

— Il faut que je te parle... Voilà, papa est parti.

— Ah ! fait Jeannot soulagé.

Mais maintenant qu'elle a lâché la première phrase, elle ne sait plus comment continuer et dit n'importe quoi. Papa est parti parce qu'il avait du travail ailleurs. Il est allé chercher du travail... Il en trouvera mais pas tout de suite. C'est difficile... Alors il ne sera pas à la maison... Peut-être longtemps. Peut-être pas longtemps... Il nous écrira. Ou bien il viendra nous raconter, s'il a le temps de passer par ici... Il doit voyager, parler à des gens... On l'attendra, tu comprends. Il nous dira ce qu'il fait...

Elle continue de parler puis, brusquement, ça s'embrouille parce que sa voix tremble. Jeannot ne comprend plus rien à ce qu'elle dit mais il est content. Maman ne lui reproche rien et c'est pas lui qui pleure.

Saint Louis

On ne sait pas ce qu'il mange. On ne sait pas d'où il vient. On ne sait pas où il habite. On ne comprend pas tout ce qu'il dit mais, quand arrive la fête de la Saint-Jean, chaque année, il est là. Il porte un grand sac attaché avec une corde autour des reins et passe tous ses après-midi, assis comme un roi, sous l'arbre du grand pré. Du coup, on l'appelle « Saint Louis ». Mais on dit que c'est un sorcier. Il est grand comme un géant et a une barbe grise qui lui tombe presque jusqu'au milieu du ventre. Personne n'ose aller lui parler.

Mais, un jour, Néné Cardon ose. Il se plante devant Saint Louis et lui dit :

— Bonjour.

Le géant hoche la tête. Néné ne bouge pas.

— Qui êtes-vous ? demande Néné.

— Hé, hé ! fait le géant assis sous l'arbre et le dos appuyé au tronc.

— On dit que vous êtes Saint Louis.

— Hé, hé !

— Parce que vous restez assis sous un arbre.

— Sûr, sûr ! dit le barbu.

— Alors, qui vous êtes ?

— Je suis un roi.

— Le roi ?

— Oui, monsieur.

Néné, c'est la première fois qu'on lui dit « monsieur ». Il rit. Il n'a plus peur.

— Et vous êtes le roi de quoi ?

— Je suis le roi de la mer.

— Mais y'a pas de mer, ici.

— Et après ? Le lion est le roi des animaux, non ?

— Oui.

— Et il y a des lions, ici ?

— Non, répond Néné abasourdi. C'est vrai, y'a pas de lions.

— Enfin, si on veut, y'a pas de lions. Mais si on veut, y'en a. Enfin, si je veux.

— Si vous voulez, y'a des lions ici ?

— Oui, monsieur.

— Ah bon ! dit Néné.

— Et, si je veux, la mer arrivera jusqu'ici et recouvrira tout. Tout le monde sera noyé. Sauf moi.

— Et pourquoi ?

— Parce que, moi, je monterai dans l'arbre. Je me demande si je ne vais pas appeler la mer.

Il se frotte la barbe et réfléchit.

— Et pourquoi vous le feriez ?

— A cause des péchés du monde. Et maintenant, prions !

Il soulève sa barbe, sort une croix en bois cachée dans les poils, l'embrasse et remue les lèvres.

— Prions, monsieur.

Néné se tait.

— Je t'ai dit de prier, monsieur ! gronde le géant et Néné, qui de nouveau a peur, remue les lèvres.

— Et maintenant, que s'envole la colombe du Saint-Esprit.

Il fouille sous sa barbe et un petit pigeon blanc apparaît dans sa main. Il l'ouvre et le pigeon, après avoir frissonné des ailes, s'envole.

— Qu'est-ce que vous mangez ? demande Néné.

— Je suis végétarien.

— Qu'est-ce que ça veut dire ?

— Dis donc, toi, monsieur, est-ce que ça te fatiguerait de m'appeler Majesté, puisque je suis roi ?

— Non, Majesté.

— Très bien. Que mangé-je ? Aucune créature vivante à poil ou à plume. Uniquement des végétaux.

— De l'herbe ?

— Herbe, fruits, légumes, pain.

— Et du poisson ?

— Roi de la mer, je ne mange pas mes sujets. Bien ! Maintenant, regarde-moi attentivement, monsieur, car je vais disparaître. M'envoler, fondre ou m'enfoncer sous terre. On va voir...

Il croise ses longues jambes, joint les mains et ferme les yeux. Passe un long moment.

— Est-ce que j'ai disparu ? demande-t-il sans ouvrir les yeux.

— Pas encore, Majesté.

— Suis-je toujours là ?

— Oui.

— Ça m'étonne.

— Il faut que je rentre à la maison, Majesté.

— Tu as raison. D'ailleurs, ta présence me gêne et m'empêche peut-être de disparaître. Va ! Et que Balthazar et Absalon te protègent, monsieur.

— Oui, oui...

Il fouille dans son sac et en sort un corbeau qu'il perche sur son épaule. Il a toujours les yeux fermés.

Dans le lit, le soir, Néné souffle à sa sœur qui a dix ans et demi — enfin, presque dix ans et demi, pas tout à fait :

— Allume, il faut que je te raconte quelque chose, Nini.

— Quoi ?

— Allume, je te dis.

Nini presse sur la poire et Néné raconte à Nini. Il a parlé à Saint Louis qui lui a dit qu'il était un roi. Il ne mange que de l'herbe. Il a sorti un pigeon de dessous sa barbe. Cuit ? Non, cru, et il s'est envolé. Il a aussi un corbeau apprivoisé. Et, à la fin, il a disparu. Pas le corbeau. Lui, Saint Louis.

— Où ?

— Je ne sais pas. Il m'a dit : « Je disparais ! » Il a fermé les yeux et il n'était plus là.

— C'est pas vrai.

— Si, je l'ai vu. Je te le jure.

— C'est pas vrai. Je te crois pas. Je dors.

Nini presse sur la poire. Néné remonte ses genoux jusqu'au menton et s'endort. Mais il a chaud.

Le lendemain, il est tout rouge et transpire. Il ne veut pas boire son café au lait. Mais il a de la fièvre, ce petit. Oui, 39, dit le thermomètre. Appelons le docteur. Rââ ! Rââ ! 33, 33, 33, langue un peu blanche mais gorge normale. Les oreillons ? Non, ça ne lui fait pas mal derrière les oreilles. La rougeole ? Non plus. Qu'il prenne du lait avec quelques gouttes de teinture d'iode dedans, et deux fois par jour une cuillère de sirop. Du Dophanyl. C'est sucré et il aimera ça.

Il a demandé à Nini, cet après-midi, de passer près du grand pré pour voir si Saint Louis était toujours là.

— Mais tu m'as dit qu'il avait disparu.

— Oui, mais il est peut-être revenu.

— Bon, j'irai.

Le front brûlant, il s'endort. A quatre heures et demie, il est réveillé quand Nini revient de l'école.

— Il est revenu ?

— Oui.

— Qu'est-ce qu'il faisait ?

— Rien. J'ai regardé de loin. Il était couché sur l'herbe mais il ne dormait pas. Son pied se balançait.

Quatre jours de fièvre. Le docteur est revenu. Il tousse ? Non. Il ne tousse pas mais ne boit que du lait, et toujours cette fièvre. 38,5. 39. Et les selles ? Oh ! avec le lait, les selles... Oui, bien sûr. Changeons de sirop et mettons-lui un cataplasme. Pas d'inquiétude. Une crise de fièvre. Il grandit, vous comprenez, c'est de son âge. Merci, docteur.

— Nini ?
— Oui, papa ?
— Dis, pourquoi tu fermes la porte quand tu vas voir Néné ?
— C'est lui qui veut.
— Et pourquoi ?
— Parce que.
— Parce que quoi ? Qu'est-ce que vous vous racontez, tous les deux ? Et, à propos, ta mère m'a dit que tu rentres de l'école en retard, chaque jour, depuis lundi. Où vas-tu ?
— Je... Je me promène.
— Nini, je compte jusqu'à cinq et, à cinq, tu reçois une gifle. Avec ça, regarde !

Et papa montre sa main ouverte. Alors, Nini raconte tout, qu'elle va au grand pré voir si Saint Louis est toujours là. Le corbeau, le pigeon, l'herbe, la croix, le roi de la mer, et que Néné l'a vu disparaître. Quand ? Dimanche, il y a quatre jours. Elle raconte tout, et que Néné lui demande chaque jour d'aller voir si Saint Louis est toujours là.

— Bon, j'ai compris.

Papa va à l'écurie et prend le fouet. Il a l'air méchant et traverse la cuisine.

— Où vas-tu, comme ça ? demande maman un peu effrayée.
— Je reviens !

A grands pas, le fouet à la main, il se dirige vers le grand pré. Au pied de l'arbre, Saint Louis mange un melon avec son couteau. Il relève enfin la tête et voit cet homme, le béret enfoncé jusqu'aux sourcils et un fouet à la main.

— Enchanté, dit-il. Vous voulez un bout de melon, monsieur ?

— Non !

— Dommage. Il est excellent.

Papa est un peu déconcerté. C'est quand même emmerdant de foutre des coups de fouet à ce zigoto, et puis il pense à Néné qui grelotte, dans son lit.

— Et qu'est-ce qui me vaut l'honneur de votre visite, monsieur ?

— Ce qui me vaut l'honneur, « espèce de gitane », c'est que tu vas foutre le camp d'ici tout de suite si tu ne veux pas que je t'oblige à le faire, moi.

Et la corde du fouet se remue, sur l'herbe, comme un serpent.

— Vous me frapperiez, monsieur ?

— Non, je te foutrai des coups de fouet.

— Vous n'avez pas le droit, dit Saint Louis en avalant un cube de melon. Absalon l'interdit.

Papa flanque trois grand coups de pied dans le sac de Saint Louis qui s'ouvre. Dedans, des melons, des boîtes de sardines, un poulet à moitié plumé, un morceau de jambon.

— Espèce de saloperie ! C'est comme ça qu'on mange de l'herbe ? Où t'as volé ça, « gitane » ?

— Dons du ciel, monsieur...

Papa n'en peut plus de colère. Le fouet siffle, frappe les mains de Saint Louis qui fait : « Aïe ! » en lâchant son melon. Et un autre coup de fouet sur les jambes et un autre : « Aïe ! »

— Fous le camp, crapule ! Allez !

Le fouet siffle au-dessus de la tête de Saint Louis qui se lève.

— Vous avez tué mon corbeau.

— Où ça ?

— Il était dans le sac.

— Je m'en fous !

Et encore un coup sur les jambes !

— Plus vite, crapule ! Et ferme-la !

Saint Louis ramasse son sac sans oser remettre dedans les melons, les boîtes de sardines et le poulet à moitié plumé.

— Si je te revois ici, saloperie, je te coupe en morceaux.

Son fouet à la main, papa regarde le géant qui s'éloigne, là-bas, sur la route. La nuit tombe.

Sur le chemin de la maison, il a poussé, il ne sait pas pourquoi, la porte du Café du Commerce. Mais il a laissé son fouet dehors, appuyé contre le mur.

— Hé, Marcel, d'où tu sors ? a dit le patron.

— Bof ! Je sors d'où je sors. Donne-moi un rhum !

Marcel n'a pas l'air de bonne humeur. Il a pris son petit verre, sur le comptoir, et est allé regarder les quatre qui jouaient à la manille. Ça va, Marcel ? Oui, merci. Il a bu encore deux autres petits verres de rhum et le patron a pensé : « Il a dû y avoir de la scène avec sa Paulette. C'est pas normal qu'il soit venu boire trois verres de rhum et regarder les quatre jouer à la manille, à cette heure-ci. »

— Bonne soirée à tous !

Il est sorti. Il a ramassé son fouet et est revenu à la maison. Paulette avait mis la table et attendait, avec Nini.

— Mais où est ton père ? Mon dieu... Et il ne m'a pas dit où il allait. Et ce cassoulet qui se sèche ! Ah, le voilà !

Papa est rentré sans rien dire et est allé poser le fouet dans l'écurie.

— Mais d'où viens-tu, avec cette tête ?

— Je viens d'où je viens. Où est le thermomètre ?

— Là, dans le tiroir. Qu'est-ce que tu vas faire ? Néné, je lui ai pris la température à cinq heures.

— Cinq heures c'était cinq heures.

Dans son lit, Néné ne dormait pas. Il lisait *l'Epatant*.

— Allez, Néné. Mets ça dans la bouche.

Néné obéit.

— Ça fait cinq minutes, dit maman.

— Dix, ça ira mieux.

Papa attend, debout, et regarde sa montre. Ça fait le compte. Dix minutes.

— Donne-moi ça.

Papa regarde le trait roùge sur le thermomètre. 37. Maman regarde à son tour. 37. C'est pas possible !

— Allez, Néné, lève-toi. T'es guéri. Viens manger du cassoulet.

Alors Néné dit « Oui ! » et saute du lit comme un lapin.

Les deux cents familles

Armand a étrillé le cheval avec beaucoup de soin puis, du plat de la main, a encore lissé les flancs et la croupe. Popaul admirait le savoir-faire de son père, plus grand encore que celui de sa mère quand elle repasse une chemise, sauf que celle du cheval est marron sombre.

— A la soupe !

Ils traversent le jardin qui sépare l'écurie de la ferme, mais, avant d'entrer dans la cuisine, le père se retourne et regarde le ciel.

— Il y a trois jours que le ciel est rouge. Pas normal.

— Pourquoi ? demande Popaul.

— Ça veut dire qu'on va avoir la guerre.

— Contre qui ?

Le père hausse les épaules.

— Contre qui tu veux que ce soit ? Les Chinois ? La guerre, c'est toujours contre les Allemands.

— Non, dit Popaul.

— Ah oui ? Et les deux dernières, en 70 et en 14, c'était contre les Chinois, peut-être ?

— Jeanne d'Arc, c'était contre les Anglais.

— Toi, il faut toujours que tu discutes.

Armand est obsédé par la guerre et ça le rend sombre. Il faudra qu'il parte, ils réquisitionneront le cheval, il sera tué ou amputé de quelque chose. Et qui travaillera les terres ? Et ils voulaient avoir une fille et un autre garçon, Georgette et lui, mais si la guerre éclate ? Et s'il les fabrique pendant une permission mais se fait tuer ? Et le cheval, réquisitionné ! Il y a eu moins d'hirondelles, cette année, mais beaucoup plus de vipères. Déjà, la guerre est partout. Les pommes de terre ont beaucoup plus d'yeux que l'année dernière. Pour regarder la guerre ? Et l'on dirait que les gens ont des gestes plus lents, que les vieux vieillissent plus vite, que les cochons grognent moins fort et que le cheval, au bout de chaque sillon, laisse tomber la tête comme s'il était découragé. En revanche, quand la charrue ouvre la terre, sur la tranche qui brille il y a beaucoup de vers qui gigotent. Ils doivent être au courant, les vers, et sont heureux de se multiplier. Les cadavres des soldats, c'est leur affaire.

Georgette est inquiète de voir Armand, les sourcils froncés, boire sans rien dire, après avoir mangé, un grand verre de vin. Avant, il ne faisait pas ça. Popaul, lui, est étonné. A la place de son père, il serait heureux d'être mobilisé et d'aller se battre contre les Allemands ou contre n'importe quoi.

— S'il y a la guerre, on gagnera, a-t-il dit, l'autre jour, en aidant son père à nettoyer la cuve.

— On gagnera des croix au cimetière.

C'était sans réplique mais Popaul, après avoir réfléchi et en passant à son père les mèches de soufre :

— Si les Allemands nous attaquent, il faut se battre.

— Pour les deux cents familles !

— Ah ! a fait Popaul complètement interdit.

Qu'est-ce que c'est les deux cents familles ? Où sont-elles ? Il n'a pas osé le demander tant son père a été péremptoire.

— Armand, dit doucement Georgette, depuis quelque temps, tu bois trop.

— Je boirai moins quand je serai sur le front.

— Armand, tu vas trop au café. Toi, tu t'abîmes la santé et le patron du café, il se remplit les poches.

— Je préfère remplir les siennes que celles des deux cents familles.

— Mais qu'est-ce qu'elles t'ont fait, à la fin, ces deux cents familles ? Tu ferais mieux de t'occuper de la tienne !

Quand il a trop bu, il rêve de la guerre. On lui coupe une jambe, un bras, il est aveugle, il tourne la manivelle de son fauteuil roulant. On mine la maison. Il entend les coups de pioche qui montent de la cave. Alors, il transpire, se réveille et va boire un coup de vin. A travers la fenêtre, il regarde si la lune est rouge.

Et, sans crier gare, de plus en plus agité à cause de sa peur, il a décidé un jour de faire la guerre aux mouches, rats, souris, vers et corbeaux. Pourquoi pas ? a pensé Georgette. Mais la rage de destruction des nuisibles qui secoue Armand a fini par la troubler. Partout, il suspend des papiers collants et dispose des assiettes avec du poison, il place des pièges à souris et des cages à trappe pour les rats, il massacre les vers qui échappent aux poules et, dès qu'il voit un corbeau, il court chercher le fusil. Popaul est très excité par cette chasse, mais Georgette ne trouve pas ça normal.

— C'est bien, Armand, mais tu exagères. Tu ne penses qu'aux souris, aux rats, aux mouches...

— Ah ! je vois, tu veux que je t'explique ?

— Oui.

— Parce que plus je tuerai de ces sales bêtes et moins il y en aura pour bouffer les soldats tués à la guerre.

Georgette a eu le souffle coupé. Cette fois, ça y est, la cervelle d'Armand se détraque ; mais ça ne sert à rien de lui dire qu'il devient fou.

— Oui, tu as raison.

— Evidemment que j'ai raison, dit-il en contemplant la cage où couinent trois rats qu'il va noyer.

Il attachera une corde à la poignée de la cage, plongera celle-ci dans la mare et l'y laissera au moins un quart d'heure parce que, incroyable mais vrai, ces saloperies retiennent l'air dans leurs poumons et si on remonte la cage trop tôt, elles ne sont pas mortes ! Incroyable !

— Tu as raison mais ça m'étonnerait que la guerre arrive jusqu'ici et qu'on enterre les soldats autour de la maison. La France, c'est grand et si tu veux tuer tous les rats, toutes les mouches...

— Je tue ce que je peux.

Il est là, debout, sa cage à la main et Popaul, avec la dent cassée d'une fourche, taquine les rats qui bondissent.

— Viens, Popaul, on va les noyer.

— Je peux porter la cage ?

— Oui mais ne la balance pas comme le panier à salade.

Ils se dirigent vers la mare.

— Maman a raison. Tu n'arriveras pas à tuer toutes les bêtes. Il en restera. Alors, à quoi ça sert ?

— Ça sert que toute cette saloperie est rusée. Attends que la guerre éclate et tu ne verras plus un corbeau, un rat ou une mouche dans le coin. Tous foutu le camp sur le front pour bouffer du soldat. Alors, en tout cas, ceux que j'aurai tués n'iront pas. Et puis, il y a mon odeur.

Popaul reste bouche bée. Là, il ne comprend plus rien du tout mais son père explique calmement :

— Les bêtes ici connaissent mon odeur et, si je suis tué ou blessé, comme elles seront sur le front, elles reconnaîtront mon odeur et viendront me bouffer à toute vitesse. Tandis que, si je les tue, ma blessure au ventre s'infectera moins vite.

— Oui, d'accord, dit Popaul.

— Ecoute-moi bien, dit Georgette à Popaul. Ton père n'est pas normal avec ses idées de guerre. Il faut que quelqu'un lui parle.

— Qui ?

— L'instituteur. Il sait parler et ton père aura confiance. Il faut que quelqu'un lui enlève ces idées de la tête, sinon, un de ces jours, il va tuer le cheval pour qu'il ne soit pas réquisitionné par les deux cents familles. Ce soir, tu n'as qu'à dire que l'instituteur a demandé que j'aille le voir pour les blouses, les goûters...

— Oui.

— Je lui expliquerai et je lui demanderai de passer par ici, un jour, comme par hasard, et de parler à ton père.

— Et il lui dira quoi ?

— Il lui dira qu'il ne va pas y avoir la guerre.

Le lendemain, Georgette fait un peu de toilette, met une robe et, prenant son courage à deux mains, va voir l'instituteur. Elle lui raconte tout. La lune rouge, les mines dans la cave, les rats, les corbeaux...

— C'est une obsession, dit l'instituteur.

— Voilà, c'est ça, monsieur l'Instituteur, une obsession.

— Bon, je m'arrangerai pour venir lui parler.

— Cette fois, ça y est, je peux y aller ! s'est écrié l'instituteur.

Il a plié le journal et a sauté sur sa bicyclette.

— Ton père est là, Paul ?

— Oui, monsieur.

— Je vais lui dire bonjour.

Il est hilare, lorsqu'il serre la main d'Armand.

— Alors, vous avez vu les nouvelles ? Formidable, non ?

— Quelles nouvelles ?

— La paix ! Nous n'aurons pas la guerre !

— Ah ! fait Armand.

Mais l'instituteur parle, parle, explique, la paix, Munich, Daladier, Hitler, Chamberlain, c'est signé. Hitler a reculé. Il sort le journal de sa poche, le déplie. En grosses lettres, Armand lit : « Munich ! Victoire de la paix ! »

— Pour une nouvelle, c'en est une, dit Armand, et l'on dirait qu'il renaît.

Un seul rat s'est fourré dans la ratière, ce matin.
— On va le noyer, dit Armand.
Mais Popaul, à genoux devant la cage, dit :
— Il est petit. Et si on ne le noyait pas, pour une fois ? Si j'allais le relâcher, là-bas ?
— Et pourquoi ? Parce qu'il est petit ?
— Non... (Popaul hésite, puis dit :) Non, mais, puisque c'est la paix... Je vais le lâcher ? Je peux ?
— Oui, dit Armand.

Les Cristobal

Une querelle a éclaté, le dernier jour de la foire, entre Cristobal, marchand forain, et Mme Alet, l'épicière, parce que Cristobal avait installé, par terre, tout son attirail de chaudrons, de chandeliers, de bassines et de casseroles à vendre. Devant l'épicerie, et ça gênait les clients. A la fin, Mme Alet en a eu assez et s'est engueulée avec le vieux Cristobal, son fils, la femme de ce fils et même le petit Ramon, douze ans, qui gueulait en charabia. Mais Mme Alet, qui est grosse et doit peser au moins quatre-vingts kilos, ne s'est pas laissé intimider. Comme elle ne comprenait pas la moitié de ce que la tribu braillait et comme des gens s'étaient attroupés et l'approuvaient, ça lui donnait du courage.

— Mais regardez-moi toute cette gitanerie ! Ça vient faire de la concurrence au commerce, ça ne paie pas de patente, ça sort sa camelote on ne sait pas d'où et ça s'installe n'importe où ! On ne sait pas d'où ça vient, on ne sait pas où ça va...

Le fils Cristobal remuait les bras, roulait des yeux, gueulait et sa femme aussi qui en perdait ses peignes. Le vieux frappait un chaudron avec sa canne mais le plus excité, c'était le petit Ramon qui criait, en catalan gitan, des torrents d'injures. Mme Alet prenait les gens à témoin.

— Vous avez vu comment ils élèvent leurs enfants ? Ça ne parle même pas français, ce petit voyou, et on dirait un chien enragé.

— Je parle français ! criait Ramon avec son accent.

— C'est ça ! Ça dit que ça parle français et ça n'a même pas le Certificat d'études ! Tu l'as, peut-être, le Certificat d'études, espèce d'Apache ? Va le passer et on en reparlera, voyou ! Tu ne l'auras jamais !

Que répondre à ça ? Les Cristobal ne s'attendaient pas à cette attaque. Gitans, voleurs, fainéants, sales, ils sont habitués à entendre ça. Mais qu'on reproche au petit de n'avoir pas le Certificat d'études, ça, c'est la surprise.

Le lendemain, M. Rigobert, l'instituteur, à quatre heures et demie, voit arriver le vieux Cristobal, chapeau tout puceux sur la tête mais chaîne de montre sur le ventre et bague au doigt, grosse et en or, accompagné de son fils, tête nue mais cheveux gominés et raie au milieu — et du petit Ramon, cheveux noirs et aussi gominés. Qu'est-ce qu'ils veulent, ces trois-là ? En charabia, mais M. Rigobert comprend, le vieux Cristobal explique :

— On veut que le petit passe cette année le Certificat d'études. Il s'appelle Ramon.

— Ah ! enfin ! s'écrie Rigobert. Vous y venez aux études ! C'est pas trop tôt.

Il sourit mais le vieux et son fils gardent l'œil farouche.

— On veut que Ramon passe le Certificat d'études cette année.

— Hé ! cette année ? Mais est-ce qu'il sait écrire ?

— Non.

— Et lire ?

— Non. Il lit des mots mais pas tous. Il sait compter.

— Et vous voulez qu'il passe le Certificat cette année ? et qu'il soit reçu, peut-être, tant que vous y êtes ?

— Oui. Il passe et tu le lui donnes.

Patiemment, l'instituteur explique que c'est impossible. Le Certificat est un diplôme qu'on n'obtient pas comme ça. Il faut savoir lire, écrire, faire des problèmes et des dictées, connaître l'histoire, la géographie... C'est très important, cet examen. Et d'ailleurs, en admettant que Ramon entre à l'école, les Cristobal sont toujours sur les chemins, avec leur roulotte.

— On restera ici jusqu'au Certificat.

— Mais nous sommes début mars et l'examen n'a lieu que fin juin !

— On restera jusqu'au mois de juin.

A bout d'arguments, M. Rigobert dit :

— Bon. Comme vous voulez. Je ne peux pas refuser d'accueillir un élève, mais, autant vous prévenir, Ramon sera collé et n'aura pas le Certificat.

Alors, le fils, tranquille, a dit :

— S'il l'a pas, toi, on te tue.

— Qu'est-ce que vous... ?

Le fils a sorti un couteau de sa poche, l'a ouvert et la longue lame a brillé.

— On te tue.

Ramon hochait la tête. Le vieux Cristobal a doucement renversé son chapeau puceux en arrière.

— Si, l'institoutor, on té toue.

M. Rigobert, devenu très pâle, s'est efforcé de rester calme et de sourire.

— Ah oui ? Vous savez comment ça s'appelle ce que vous dites ? Ça s'appelle menaces de mort.

— On s'en fout.

— Et vous savez que je peux prévenir les gendarmes ?

— On s'en fout. Le Certificat ou on te tue.

— Et vous savez que vous iriez en prison ?

— On s'en fout.

— Et à quoi ça vous avancerait de me tuer ?

— Tu serais mort.

— Et vous croyez qu'on donnerait alors le Certificat au petit ?

— Non, mais tu serais mort.

— Et si je porte plainte et qu'on vous arrête demain ?

— Quelqu'un de notre famille te tuera. On a des oncles

et des cousins partout. Si on nous met en prison, c'est eux qui te tueront.

Le vieux Cristobal a dit :

— C'est la pure vérité. Ou le Certificat, ou tu meurs. Avec le couteau, une carabine, une pierre, mais — il crache par terre — tu meurs. Demain, Ramon viendra à l'école. Et il sera sage.

Et les Cristobal sont sortis.

— Qu'est-ce que vous me racontez, mon cher Rigobert ?

— Je n'invente rien, monsieur l'Inspecteur. Je vous ai raconté mot pour mot cette entrevue.

— C'est une histoire à dormir debout, voyons ! s'écrie M. l'Inspecteur d'académie. Vous avez prévenu les gendarmes pour qu'ils flanquent toute cette racaille en prison ?

— Surtout pas.

— Et pourquoi surtout pas ?

— Parce que je tiens à ma vie.

— Mais ils ne feront rien, vos gitans ! Ils menacent et c'est tout !

— Non, monsieur l'Inspecteur. Je suis absolument certain qu'ils me tueront. Et je tiens à vous signaler que des Cristobal, tous de la même famille, il y en a au moins deux cents dans le département. Alors, primo, ils me tueront et, secundo, comment les arrêter tous ? Ce sera la guerre !

— Des blagues, des blagues !

L'inspecteur d'académie s'obstine, tire sur son gilet, aligne trois papiers sur son bureau.

— Non, monsieur l'Inspecteur. Pas des blagues. La vérité.

— Je ne peux pas partager vos inquiétudes, Rigobert.

— Bien. Je vais vous envoyer les Cristobal et vous essaierez de les convaincre.

— Ah oui ! C'est ça ! Riche idée ! Pour qu'ils me considèrent comme le responsable et que ce soit moi qu'ils menacent de tuer ? Riche idée !

— Vous voyez, dit l'instituteur doucement, que vous y croyez à leurs menaces. Excusez-moi mais...

L'inspecteur d'académie se dresse tout droit derrière son bureau.

— Je vais réfléchir et aviser. En attendant, vous accepterez le gosse dans la classe.

— C'est déjà fait depuis quatre jours, monsieur l'Inspecteur.

— Très bien, Rigobert. J'aviserai.

— Merci. Je tiens à vous dire que le vieux Cristobal a juré de me tuer si Ramon n'a pas le Certificat d'études et que ce genre de gitans ne revient jamais sur son serment.

— Soyez tranquille, mon cher. J'aviserai.

Le vieux avait raison. Ramon, pas très propre mais gominé, est très sage, au fond de la classe. Le premier jour, il est arrivé et a donné cinquante francs à M. Rigobert.

— Pour les livres et les cahiers.

— Les livres, c'est gratuit et j'ai des cahiers.

Ramon a repris les cinquante francs. Il ne chahute pas mais ne fiche absolument rien. Il ouvre les livres mais ne lit pas, il trace des bâtons sur les cahiers et M. Rigobert, bien sûr, ne l'interroge jamais. Pendant la récréation, en revanche, il saute comme un chat, court comme un lièvre et, au rugby, feinte comme une anguille. En plus, il sait marcher sur les mains. Et distribue des pastilles au miel ou à la menthe à tous les copains. Finalement, M. Rigobert se féliciterait de sa présence s'il n'y avait, au bout, ce sacré Certificat d'études. Ça, c'est l'angoisse. Et les Cristobal, à la limite du village, dans le pré réservé aux nomades et qui n'en bougent pas !

On voit, à trois cents mètres, leur roulotte vert et rouge. Mais pas un lapin ou un poulet de volé, pas une bagarre, pas un mot. Eux aussi sont sages.

« Allons, je vais faire un effort ! » a pensé M. Rigobert.

Il a demandé à Ramon de rester après quatre heures et demie et, patiemment, il lui apprend à tracer les lettres, à former des mots, à épeler. Le petit comprend assez vite et, ma foi, au bout de deux mois, il ne sait pas encore lire mais épelle beaucoup de mots. En calcul, il arrive à faire des multiplications. Ecrire, ça, non. Il ne forme que quelques mots en faisant beaucoup de taches sur son cahier. Tout de même, il sait écrire Cristobal, Ramon, gitan, roulotte, bébé, papa et une dizaine d'autres mots.

Le vieux Cristobal est venu à l'école.

— Il apprend bien, hé, Ramon ?

— Oui oui.

— N'oublie pas, institoutor, le Certificat !

— Je n'oublie pas, Cristobal.

Mais juin approche. Nouvelle lettre à l'inspecteur d'académie pour lui demander s'il a « avisé ». Nouvelle convocation. « S'il me dit qu'il n'y a rien à faire, je démissionne et je passe le concours des Postes », pense M. Rigobert. « Je démissionne avant juin et je file à Toulouse, loin... Je tiens à ma peau. »

— Vous avez avisé, monsieur l'Inspecteur ?

— Oui oui...

— Alors ?

— Vous présentez combien d'élèves au Certificat, cette année ?

— Onze, monsieur l'Inspecteur.

— Avec votre gitan ?

— Oui, avec lui.

— Et ils menacent toujours de vous tuer si...

— Oui, toujours. Je suis un mort en sursis.

— Bon... Eh bien, on va s'arranger, Rigobert. Cette année, tous vos élèves seront reçus.

— Tous ?

— Oui.

— Même Ramon ?

— Oui.

M. Rigobert a un sursaut de bon instituteur soucieux, brusquement, de sa réputation.

— Mais que diront les parents des autres élèves si Ramon est reçu ?

— Ah ! Ecoutez, Rigobert. A quoi tenez-vous le plus ? A la vie ou à l'opinion de vos paysans ? Je vous trouve une solution, je me débrouillerai avec les correcteurs, et vous me dites que vous refusez ?

— Non, non, j'accepte, monsieur l'Inspecteur.

Le jour du Certificat, il y avait au moins dix roulottes, dans le pré, arrivées la veille. Tous les Cristobal. C'était un mardi. Le jeudi, on lisait dans le journal : « Nous tenons à féliciter l'instituteur de Roquelaure, M. Pierre Rigobert, qui a présenté onze élèves, cette année, au Certificat d'études, lesquels ont tous été reçus à l'examen, et dont voici les noms : André Germain, Bernet Jacques, Berniquet Louis, Cristobal Ramon... » Suivaient sept autres noms.

Le dimanche, le vieux Cristobal et son fils ont frappé à la porte de M. Rigobert.

— Ramon, il a le Certificat, pas vrai, institoutor ? Et tu as vu, c'est facile. On s'en va ce soir mais avant de partir, institoutor, on t'apporte ça.

C'était une paire d'énormes chandeliers, en cuivre, enveloppés dans du papier journal.

— Merci, merci, Cristobal. C'est magnifique ! Merci !

Le vieux Cristobal, dans sa moustache, a eu un sourire jusqu'aux oreilles.

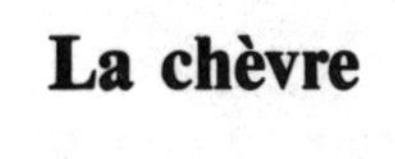

La chèvre

Au début, c'était pas grave mais bientôt Poulette, la fille de Giraud le Maçon (on dit Giraud le Maçon parce que son frère est cantonnier et qu'on dit Giraud le Cantonnier) a commencé à exagérer. Au début, elle faisait « Bêê, bêê... » de temps en temps mais, maintenant, elle le fait dès qu'on lui parle. Ça y est, elle se prend pour une chèvre. Dommage parce qu'elle est très jolie, mais on se demande si, à force de bêler, elle ne va pas devenir laide et même baver. Comment des choses comme ça peuvent-elles arriver à des personnes braves comme Giraud le Maçon qui est travailleur, serviable et honnête ? « Qu'est-ce qu'on a fait au Bon Dieu, Pierre, pour que notre petite se prenne pour une chèvre ? Si tu étais berger, je comprendrais. Ou boucher comme M. Lallemand. Quand on entend ces pauvres agneaux bêler dans sa remise parce qu'ils savent qu'ils seront le lendemain tués à coups de masse... Mais, toi, tu es maçon... » Si elle faisait la poule, on comprendrait aussi. Un peu. A force de s'être entendue appeler Poulette... Mais non, elle fait la chèvre.

Dans le village, on parle énormément de ce qui arrive à cette pauvre fille. On rappelle que Gégé, le fou qui s'est jeté sous le train, il y a trois ans, aboyait. Mais il était fou depuis qu'il était né alors que Poulette, ça l'a pris tard puisqu'elle va sur ses treize ans. Et Gégé était laid avec de petits yeux et un nez comme une serpe. Poulette, elle, est jolie comme un ange. Mais c'est un ange qui bêle. Ça existe des remèdes contre ça ? Le Dr Azema a été appelé. Il a ausculté Poulette. Langue rose. Pas de fièvre. Il lui a tapoté le dos avec le doigt, toc, toc, toc. Tout est normal chez cette petite... Il a pris sa mère à part. « Elle est devenue une femme, récemment ? Oui ? Ah ! c'est peut-être ça... » La mère a dit :

— Vous croyez, docteur ?

— Ça se pourrait.

— Y'a des remèdes contre ça ?

— Je n'en connais pas...

Quand le docteur a été parti, Giraud le Maçon a questionné sa femme. « Il m'a dit que c'était peut-être parce qu'elle avait les indispositions... » Lui, il a haussé les épaules et estimé que ce docteur disait des conneries. Comme si être indisposée faisait devenir chèvre ! Alors toutes les femmes bêleraient, Simone. La vieille Roulet, en tricotant un fichu, a relevé son nez où pointe une verrue noire et a dit : « Simone, moi je te dis qu'il faut que tu fasses venir le curé. La chèvre c'est la femme du bouc et le bouc c'est le diable, eh oui, Simone... » Elle a soupiré.

Le curé est venu pour réciter les prières d'exorcisme. Tout jeune, l'abbé Samois, et pâle. Il n'y a pas six mois qu'il a été nommé pour remplacer l'abbé Robert qui avait près de quatre-vingts ans et ne tenait plus debout. Maintenant, il est dans un couvent où on s'occupe de lui. L'abbé Samois, bien sûr, était au courant puisque tout le monde sait que Paulette bêle. Parmi ses paroissiennes, il y en avait même une qui lui avait expliqué sa théorie. Mlle Hure, vieille fille. « Ce n'est pas étonnant, monsieur le Curé. Les gens appellent leurs enfants "mon petit canard, mon poussin, mon poulet, mon petit rat, ma biche..." On dirait qu'ils ont mis au monde des bêtes et pas des enfants. Alors, aux enfants, ça leur entre dans le crâne. Les Giraud le Maçon, c'était toujours "Poulette par-ci, Poulette par-là..." Alors, la petite s'est prise pour une chèvre. » Le curé a dit : « Bien sûr, mademoiselle Hure, vous avez peut-être raison mais elle aurait dû se prendre pour une poule et pas pour une chèvre... » La vieille fille a répondu : « Poule ou chèvre, ce sont des animaux... »

Le jeune curé est donc allé chez Giraud le Maçon.

— Voilà monsieur le Curé, Poulette. Je vous laisse seuls tous les deux pour les prières.

La mère est sortie de la cuisine et la petite a commencé à enlever sa robe, en se déboutonnant et en regardant l'abbé Samois.

— Non, non, a-t-il dit, ne te déshabille pas, je ne suis pas le docteur.

Et précipitamment, il a reboutonné le corsage de Poulette qui le regardait sans baisser les yeux. Il était tout rouge. Ses mains tremblaient. Il avait vu les petits seins.

— Alors... Mon mon enfant... Est-ce que tu veux que nous disions une prière, ensemble ?

— Bêê, bêê... a fait Poulette.

— Non, mon enfant. Tu n'es pas une chèvre et tu le sais. Allons, approche-toi et récitons d'abord un *Notre-Père*.

Elle s'approche.

— Notre Père qui êtes aux cieux...

— Bêê, bêê...

— Non, Poulette, dis avec moi : « Notre Père qui êtes aux cieux, que votre nom soit sanctifié... »

Il prend les deux mains de Poulette. Elle le regarde fixement, et, de nouveau, il rougit. Puis, elle pose sa tête blonde sur l'épaule de l'abbé qui ne sait que faire. Il ne bouge pas. Il murmure : « Avec moi, Poulette... Allons... » Il recommence la prière : « Notre Père qui êtes aux cieux, que votre nom soit sanctifié... » Poulette remue les lèvres : « ... que votre règne arrive, que votre volonté soit faite sur la terre comme au ciel... » Et l'abbé et elle prient ensemble, et, doucement, récitent le *Notre-*

Père. En priant, l'abbé respire fort et son souffle fait voleter un peu les cheveux blonds de Poulette. Ils ont récité dix *Notre-Père* et dix *Je vous salue Marie*. Quand ils sont sortis de la cuisine, l'abbé a dit à Giraud le Maçon et à sa femme : « Elle est guérie... Mais je reviendrai la voir... »

— Tu es guérie, Poulette ?

Elle a fait « oui » de la tête. Elle n'a pas bêlé.

— Dis à ta maman que tu es guérie, ma fille.

Elle a baissé la tête.

— Oui, je suis guérie, maman.

Giraud le Maçon n'en revenait pas. Il est allé vers le buffet et a ouvert le tiroir.

— Tenez, monsieur l'Abbé, pour les pauvres...

Il lui a glissé une pièce dans la main.

— Quand on va savoir ce que vous avez fait, dans le village, monsieur l'Abbé...

— Nous avons prié. C'est Dieu qui nous a écoutés. Je n'ai rien fait, moi...

Il regagne le presbytère à grands pas. Il transpire, sous sa soutane. Il pense : « Qu'est-ce que j'ai fait ! Qu'est-ce que j'ai fait ! Mon dieu... »

Le coiffeur

— Il faudra bientôt que tu ailles chez le coiffeur.

Le père de Nanou a un respect immense pour Marcel, le coiffeur de la rue Jules-Michalon, ancien maire, chez lequel il va lui-même se faire couper les cheveux. Il faut avouer que Monsieur Marcel est un homme aimable, très propre, avec une blouse toujours blanche, et qu'il demande à ses clients des nouvelles de leur famille. Toujours de bonne humeur. Nanou, lui, déteste aller chez Monsieur Marcel. Pourtant, au moins une semaine à l'avance, son père commence à répéter : « Il faudra que tu ailles chez le coiffeur » comme s'il fallait s'y préparer longtemps à l'avance. Ensuite, le jour où Nanou y est allé, son père s'écrie : « Ah ! c'est bien. On voit que tu es allé chez le coiffeur ! Tu commençais à avoir l'air d'un imbécile. » Ou bien : « Tu commençais à ressembler à un gitan. » En effet, d'après lui, on a « l'air bien » si on a les cheveux courts. Si on les a longs, c'est suspect. Ça prouve qu'on est un fainéant ou un voleur.

Nanou n'aime pas aller chez le coiffeur pour deux raisons. Et voici la première : Monsieur Marcel lui coupe les cheveux trop courts et Nanou se met à avoir deux énormes oreilles. Il avait oublié qu'elles étaient si grosses et, quand il sort de la boutique, il croit que tout le monde les regarde. Ensuite, Monsieur Marcel fait gicler de la gomina rose sur la paume de ses mains, les frotte et lui écrase cette colle sur les cheveux. Puis il le peigne en dessinant un cran, comme une vague luisante, juste au-dessus du front. Nanou, résigné, regarde ce cran et le trouve laid et ridicule. Le pire, c'est que les cheveux durcissent — et le cran aussi — à cause de la gomina. Quand on les touche, c'est dur et raide. « Touche pas ! » dit Monsieur Marcel. Et, à la maison, sa mère s'émerveille : « Magnifique ! Malheureusement, demain matin, tu seras dépeigné... » Ensuite, Monsieur Marcel parfume Nanou avec un vaporisateur bleu. Bref, sorti des mains du bourreau, on est malheureux comme un chien qu'on vient de tondre et on rase les murs pour rentrer à la maison. On sait que, si on rencontre un copain, celui-ci dira qu'on a l'air d'un con. Et impossible de lui répondre puisque c'est vrai.

La seconde raison, la voilà. Pendant qu'il coupe les cheveux à Nanou, Monsieur Marcel lui passe la main sur la quéquette et lui dit à l'oreille : « Alors, ça va ? Ça se porte bien, la petite chose ? Tu t'amuses avec ? » Des choses comme ça. Bien sûr, entre copains, chacun parle beaucoup de sa quéquette. On se la montre, on la compare, on rigole mais Monsieur Marcel, lui, n'est pas un copain. C'est un vieux. « Tu veux que je t'en montre des grosses ? La tienne aussi, un jour, elle sera comme ça... » Et il fait semblant de tomber le peigne sur les genoux de Nanou pour, de nouveau, le toucher, vite.

Nanou ne sait pas que Monsieur Marcel est un vieux salaud. Il le trouve bête. C'est comme si son père venait jouer aux gendarmes et aux voleurs avec lui et les copains. Comme si sa mère jouait à cache-cache en trottant dans la rue avec les filles.

La dernière fois, sous la serviette, Monsieur Marcel a essayé de lui défaire la braguette. Nanou se défendait, mais Monsieur Marcel essayait et riait de façon bizarre.

— Dites, vous ne croyez pas que vous exagérez avec le petit ?

C'était Raymond, le garçon, qui s'était levé de l'autre

fauteuil où il lisait *l'Illustration*. Et, en se levant, il avait jeté *l'Illustration* sur une chaise.

— Ça te regarde, Raymond ?

— Oui. Vous exagérez !

— Et tu veux que j'exagère encore plus en te foutant à la porte ?

Monsieur Marcel était rouge et en colère.

— Et moi, vous voulez que je parle au père du petit ? Je vous jure que je le ferai.

Nanou ne comprenait rien à cette dispute. Les deux hommes étaient face à face. Puis Monsieur Marcel a dit :

— Ça va. On oublie, Raymond. D'accord ?

— Oui, a grogné le garçon.

Monsieur Marcel lui a donné le pot de gomina.

— Tiens, achève de le peigner. Fais-lui le cran.

Depuis ce jour, en tout cas, Nanou n'a plus besoin de poser ses deux mains sur la serviette, entre ses cuisses. Monsieur Marcel ne lui touche plus la quéquette.

La punition

M. le Curé, après le catéchisme, chaque jeudi, a décidé de raconter aux enfants la douce vie du bon saint François d'Assise, remplie de fleurs et d'oiseaux. Il raconte qu'un jour saint François, entendant des oiseaux chanter dans un arbre, dit à ses compagnons : « Ils chantent la gloire du Seigneur, mes frères. Allons sous cet arbre et chantons la messe avec eux. Ils allèrent et moines et oiseaux célébrèrent le Seigneur à l'unisson. Car les oiseaux ont reçu du Seigneur un triple cadeau : l'air dans lequel ils volent et qui est la liberté ; la nourriture qu'ils trouvent partout sans avoir besoin de filer et de labourer (« Ça serait rigolo un pinson en train de labourer », a dit Cloclo en poussant du coude sa sœur Lili, mais elle lui a dit : « Chut ! Tais-toi ! ») et, enfin, le vêtement, les belles plumes qui les protègent du froid de l'hiver. Aimons nos frères les oiseaux et chantons avec eux le règne, la puissance et la gloire de Notre-Seigneur ! » « Un autre jour, raconte M. le Curé, un loup terrorisait le village de Gubbio. Les paysans voulurent organiser une battue pour le tuer mais François dit : "Non, laissez-moi faire..." Il alla dans la campagne. Le loup l'aperçut et, le poil hérissé, les crocs luisants, courut vers lui. Mais François, au lieu de s'enfuir, l'attendit et lui dit : "Frère loup, pourquoi es-tu méchant ? Ah ! je le sais, c'est parce que tu as faim. Tu fais le mal parce que tu es pauvre. Viens avec moi au village. — Pour qu'on me tue à coup de fourches et d'épieux ? — Non, pour que les paysans te promettent de te nourrir, tant que tu vivras, et te donnent chaque jour ta pitance. Ainsi, tu ne feras plus le mal. D'accord, frère loup ? — D'accord'', dit le loup et il posa sa patte droite dans la main ouverte du saint. Ils revinrent tous les deux à Gubbio où les gens admirèrent la gentillesse nouvelle de cet animal qui leur avait fait tellement peur, et il en fut comme François l'avait promis : le loup vécut dans le village où il aimait tout le monde et où tout le monde l'aimait. Et les enfants montaient sur son dos pour faire des promenades. Voilà ce qui prouve que tous les animaux sont nos frères ou nos sœurs. »

Le jeudi suivant, M. le Curé continue de raconter la vie de saint François et Lili, à la fin, est impressionnée. Cloclo aussi. A la ferme, ils se mettent à parler comme François.

— Notre sœur la chatte va avoir des petits, dit Lili.

— Je vais voir mon frère le mulet, dit Cloclo.

Ils donnent à manger à leurs frères les poulets et à leurs sœurs les poules. Cloclo parle à ses frères les bœufs et Lili à ses sœurs les oies. Bertrand de La Roncette (La Roncette est le nom de la ferme) dit à Génie, sa femme :

— Tu entends comment les petits appellent les bêtes ?

— C'est rien, dit Génie, en faisant bouillir la lessive. Ils deviennent idiots, c'est de leur âge.

Mais Bertrand n'aime pas ça. Il n'aime pas que Cloclo — Lili est une fille et ce n'est pas grave — fasse des yeux de merlan frit en appelant le mulet « mon frère ». Autrefois, il allait tuer des pies et des merles, avec sa fronde, et Bertrand était fier : « Tu seras chasseur, toi ! » Maintenant, il part sans sa fronde et sifflote pour appeler ses sœurs les pies. Il paraît que le curé leur a mis ça dans la tête en leur racontant la vie de saint Fernand.

— François, dit Génie.

— Quoi ?

— C'est saint François qui apprivoisait les bêtes.

— Ça se peut mais Cloclo n'est pas un saint ! gronde Bertrand. Si ça continue, sa sœur et lui vont me taper sur les nerfs.

— Ça leur passera. Hier, j'ai tué un lapin et ils l'ont mangé.

— Mais ils n'ont pas parlé à table.

Elle rit en versant de l'eau bouillante sur les cendres de la machine.

— Eh ! bien sûr ! Ils mangeaient leur frère le lapin. En tout cas, maintenant, ils ne se font plus prier pour s'occuper des bêtes. Hier, Lili a même nettoyé le poulailler de ses sœurs les poules et Cloclo a changé la paille des cages de ses frères les lapins.

Minette, ce matin, n'est pas venue boire son lait, dans la soucoupe.

— M'étonnerait pas qu'elle ait eu ses petits, cette nuit, dit Bertrand de La Roncette.

Ils courent à la grange. C'est vrai. Notre sœur Minette, dans un nid de paille, lève ses yeux jaune d'or vers Cloclo et Lili, pousse un petit « miaou » et se remet à lécher ses chatons.

— Sœur Minette ! s'écrie Lili. Tu en as combien de frères petits chats ?

Ils écartent la paille : trois chatons aux yeux clos grouillent parmi les brindilles. Ils bondissent à la maison annoncer la nouvelle.

— Maman, Minette a trois petits. Si tu voyais comme ils sont mignons ! Viens !

— C'est comme si je les avais vus, répond maman qui reprise un tas de chaussettes avec son œuf de bois.

— On va les lui laisser quelques jours à cause du lait, a dit calmement papa.

— Et après ?

— Après, on ira les noyer, a-t-il ajouté, en sortant de la cuisine.

Cloclo et Lili ont vu la silhouette terrible de papa s'éloigner vers l'écurie. Il est pire que le loup de Gubbio avant que saint François l'apprivoise.

— Qu'est-ce qu'on peut faire, Lili ?

— Il faut qu'on sauve les petits chats.

— Comment ?

— Je sais pas. En allant les cacher avec Minette.

— Papa les trouvera et ira les noyer. En attendant, on donnera à manger à Minette.

Une semaine après, notre sœur la lapine blanche, elle aussi, a eu des petits. Ceux-là, papa ne les noiera pas. Il rigolait. Cinq lapins de plus.

— Votre sœur la lapine a cinq petits. Et comme on a une poule qui couve, vos frères les poussins arriveront bientôt.

— Te moque pas d'eux, a dit Génie.

— Je me moque pas, a dit papa.

Il a pris son aiguillon, derrière la porte, et a déclaré qu'il allait labourer avec ses frères les bœufs. En attendant...

— Je vais noyer les chats, a-t-il annoncé.

— Non ! a crié Cloclo, c'est moi ! Demain, je les noie !

— Toi ? Tu auras le courage ?

— Oui. Je les noierai. Tout seul.

— Ah ! ça c'est bien, Cloclo, c'est bien. Tu es un homme.

Lili regardait son frère, épouvantée.

— Tu es fou, Cloclo ?

— Non, tu verras.

Le lendemain, Cloclo a mis les trois petits chats dans un sac pendant que Minette miaulait, inquiète.

— Viens, a-t-il dit à Lili.

Papa roulait des cigarettes, avec son appareil, assis sur les marches de la maison.

— Tu vas les noyer ?

De l'intérieur du sac, on entendait de tout petits « miaou » et sœur Minette suivait en miaulant, la queue dressée. Sur le seuil de la cour, Cloclo lui a crié :

— Va-t'en, Minette !

Et Lili et Cloclo se sont dirigés vers la rivière.

— Tu vas les noyer ?

— Non. Cache-toi.

Ils ont bifurqué, après les arbres, et Cloclo, suivi par Lili, a couru vers le village.

— Hé, qu'est-ce qu'il y a, mes enfants ?

M. le Curé regarde Cloclo et Lili, debout devant la porte du presbytère et un sac à la main. Ils sont tout pâles et essoufflés.

— On vous apporte trois frères petits chats, dit enfin Lili.

— Papa voulait qu'on les noie, alors on vous les apporte.

— Ah !... Entrez, entrez, mes enfants.

Dans la cuisine de M. le Curé, on ouvre le sac et maintenant les petits chats trébuchent sur la table.

— Mon dieu, dit le curé, et qu'est-ce que vous voulez que j'en fasse ?

— On ne peut pas les noyer, monsieur le Curé.

— Non, non... Bien sûr, dit le prêtre en pinçant son gros nez. Attendez, que je réfléchisse...

— Vous les gardez ?

— Non, j'en ai un, mais, attendez, c'est peut-être possible.

— Tiens ! Bonjour, monsieur le Curé ! Quel bon vent vous amène ? Et qu'est-ce que vous avez dans ce panier ?

— Des chats, madame Bellegarde.

— Des chats ?

— Oui, regardez.

— Et qu'est-ce que vous faites à vous promener avec des chats ?

— Voilà, madame Bellegarde, il faut que vous m'en preniez un.

— C'est que j'ai déjà une chatte...

— Ça lui fera un compagnon.

Il lui raconte l'histoire. La vieille s'attendrit.

Bonjour, madame Mulot. Un chat. Bonjour, madame Rapin, et voici le troisième chaton adopté. Ouf ! M. le Curé, sur sa bicyclette, revient au presbytère avec son panier vide.

— Vous avez mis longtemps à noyer ces chats, dit maman.

— On s'est amusé au bord de la rivière, dit Lili.

Au souper, papa annonce que les petits lapins sont morts. Elle était pourtant belle, cette lapine, mais le lait a dû lui tourner. Ou peut-être il y avait du sulfate sur l'herbe qu'elle a mangée ? Dans le lit, le soir, Lili dit à Cloclo :

— Papa a été puni. Nos frères les chats sont vivants et les lapins sont morts.

— Des lapins, y'en a beaucoup.

— Oui, répond Lili, mais quand même c'est triste.

— C'est la punition, dit Cloclo.

L'enfant unique

Bichette est assise sur le banc du square et donne à boire à son bébé. Pour qu'il boive son lait — c'est de l'eau avec de la farine — elle lui a fait un gros trou entre les lèvres dans lequel elle fourre la tétine du biberon. Le lait coule et Bichette dit : « Allez, Popo, tète ! Tète sinon ça ira mal ! » Quand le biberon est vide, on entend : « Floc ! floc ! » dans Popo en Celluloïd. Si elle lui met la tête en bas, le lait coule par le trou de la bouche. « Ça y est ! Tu vomis ! Popo, tu es insupportable ! » Sur le banc, il y a deux femmes qui parlent. L'une surtout, la vieille, avec un petit chapeau. L'autre, la grosse, tricote.

— Il te va bien, ce chapeau.

— Tu n'en mets plus, toi ?

— Tu sais, depuis que je me suis fait faire l'indéfrisable...

— Oui, ça, c'est l'inconvénient.

Bichette redonne une seconde tétée à Popo et écoute. Elle trouve que l'indéfrisable c'est mieux que le chapeau.

— Et tu l'attends pour quand, ce petit ? demande la maigre au chapeau.

— D'après les calculs, ça serait pour dans cinq semaines un mois.

— Et qu'est-ce que tu espères, un garçon ou une fille ?

— Moi, ça m'est égal. Roger, lui, comme on a déjà le garçon, il voudrait une fille. Ça se décide pas, hein ?

— Moi, à te voir la forme, je crois que ce sera la fille.

— Alors, Roger sera content, dit la grosse en tricotant son machin rose. Tu vois, Roger se serait contenté de n'en avoir qu'un mais c'est moi qui ai insisté. Un enfant unique, c'est jamais bon. On a beau faire et beau dire, on le gâte et il fait des caprices.

— C'est vrai, dit le chapeau. Nous, on était trois et ça ne nous a pas fait de mal. Tu as raison, l'enfant unique c'est dangereux.

— Je ne dis pas que nous en aurons encore un, mais deux ce sera bien. Moi, j'ai été seule et j'en ai souffert.

— Jamais bon l'enfant unique. Ni pour les parents ni pour le petit.

Popo a vomi sa seconde tétée et Bichette, le portant dans ses bras, revient à la maison.

— Maman ?

— Oui, ma Bichette.

— Qu'est-ce que c'est l'enfant unique ?

— Où tu as entendu ça ?

— Au square. Deux dames qui parlaient. Qu'est-ce que c'est ?

— C'est quand un papa et une maman n'ont qu'un petit. Pas de frères ou de sœurs, pour lui, il est un, unique, tu comprends ?

— Je suis l'enfant unique ?

— C'est ça, Bichette. Mais Popo non, puisque tu as une autre poupée.

— Et pourquoi je suis unique ?

— Parce que, dans le chou, il n'y avait que toi.

— Mais l'enfant unique, maman, c'est pas bon. C'est dangereux.

— Qu'est-ce que tu racontes ? Qu'est-ce que ça veut dire « dangereux » ?

— Que c'est... Je sais pas.

— Va coucher Popo avec Nana.

— Oui.

Elle dispose le berceau. Elle couche Popo avec Nana qui dormait déjà.

— Méchant Popo, tu vas dormir, hein ? Nana est sage. Dors, Popo. Tu as bu tout le lait.

Elle revient dans la cuisine où maman prépare le civet.

— Maman, je veux pas être unique ! Je veux un petit frère ou une petite sœur, ça m'est égal.

— Mais tu as Popo et Nana.

— Ce sont pas mes frères. Je suis leur maman.

— C'est très bien.

— Non, parce que je veux pas être enfant unique.

— Ecoute, Bichette, je fais le civet et on va parler d'autre chose.

— Non !

— Bichette, tu m'embêtes à la fin.

— Je veux pas être unique, maman.

Elle gonfle ses joues et pleure. Voilà ce que c'est, pense Maryse, de laisser les gosses écouter n'importe quoi, au square. Maintenant Bichette boude. Quand Jean-Marie rentre, le soir, il lui apporte un grelot en cuivre mais elle s'en fiche.

— Qu'est-ce qu'elle a ma Bichette ? Tu n'es pas contente ?

— Je suis l'enfant unique.

— Mais qu'est-ce que tu racontes ?

— Rien, dit Maryse. Depuis qu'elle est revenue du square, cet après-midi, elle me casse les pieds avec ça ! Elle a dû entendre la Courson qui est...

Maryse a un geste qui décrit une courbe devant son ventre.

— Comment tu le sais ?

— Je surveillais de temps en temps par la fenêtre et j'ai vu la Courson assise qui tricotait sur le banc et parlait avec la vieille Anselme. Et comme Bichette était près d'elles... Voilà.

— Allons, Bichette, boude pas, dit Jean-Marie.

— Ça lui passera, dit Maryse. A table, le civet est prêt.

C'était passé, le lendemain matin, quand Bichette s'est levée mais voilà qu'à l'école l'institutrice dit :

— C'est pour les colonies de vacances. Ceux qui ont des frères ou des sœurs, levez les mains.

Beaucoup beaucoup de mains se sont levées. Que l'institutrice a comptées.

— Ceux qui n'en ont pas, levez la main !

Bichette a hésité puis a obéi. Quatre mains seulement, cinq avec la sienne.

— Bien, a dit l'institutrice, j'ai le compte. Seize contre cinq. Vous direz à vos parents que ceux qui sont enfant unique, pour la colonie... Et puis non, ne leur dites rien, j'enverrai une feuille. C'est trop compliqué pour que vous expliquiez.

Mais, à la récréation, la grande Filasse a expliqué aux copines que celles qui n'avaient pas de petits frères ou de petites sœurs n'iraient pas à la colonie.

— C'est pas vrai ! a dit Bichette.

— Si c'est vrai, tu verras. Tu es enfant unique et tu verras.

— Maman, j'irai pas en colonie. On l'a dit à l'école.

— Qui l'a dit ?

— Mlle Boulet et la grande Filasse. J'irai pas parce que je suis l'enfant unique.

Et ça y est ! Ça recommence ! Bichette pleure. Maryse lui met Popo et Nana sur les bras. Elle les jette. Elle crie.

— Je veux pas être unique, maman.

Jean-Marie qui graissait son vélo entre avec les mains toutes noires.

— Qu'est-ce qu'il y a ? Tu as mal, Bichette ? Elle s'est fait mal ?

— Non ! Elle braille parce qu'elle veut pas être unique, comme elle dit, cette imbécile !

— Je veux pas, je veux pas..., sanglote Bichette. Les autres ont levé la main, à l'école.

— Levé la main ? Pour quoi faire ?

— Parce qu'elles étaient pas uniques.

— Allons, allons, ne pleure pas...

Maryse a croisé les bras, devant l'évier.

— Jean-Marie, si tu la consoles, elle n'a pas fini de nous casser les pieds. Arrête, Bichette, ou tu attrapes une gifle !

Bichette se jette contre les jambes de son papa. Il la soulève et la prend dans ses bras.

— Pleure pas, ma Bichette.

Mais elle sanglote encore plus sur l'épaule de Jean-Marie.

— Je veux pas, papa.

— C'est rien, c'est rien...

Jean-Marie ne s'est pas aperçu qu'il avait les mains pleines de graisse noire et, maintenant la robe de Bichette est toute salie. Il y a même des taches sur les cuisses de la petite fille.

— Tu as vu ce que tu as fait ?

— Quoi ?

— Avec tes mains, tu vois pas ?

— Ah oui !... Tant pis, dit Jean-Marie. Ça se lavera. Pleure pas, Bichette. Tu seras pas unique. C'est promis. Je te le promets.

Il la pose par terre. Il étend la main, il crache.

— Voilà ! Promis ! C'est juré !

— Quoi ? fait Maryse en décroisant les bras.

Au dîner, un peu consolée, Bichette a mangé un œuf et du flan à la vanille. Ensuite, elle est allée embrasser Popo et Nana avant que Maryse la couche.

— Quand c'est que je serai plus l'enfant unique, maman ?

Maryse bordait le petit lit.

— Bientôt, bientôt, a dit papa.

— C'est vrai, maman ?

— Oui, oui, dors maintenant.

Maryse et Jean-Marie l'ont regardée fermer les yeux, puis eux aussi sont allés se coucher. Dans le lit, Jean-Marie a dit à Maryse :

— Bichette a raison. Et j'ai juré. Et ce qui est promis est promis.

— Oui, a murmuré Maryse. Si tu veux.

— Mais toi, tu veux ?

Elle a dit oui.

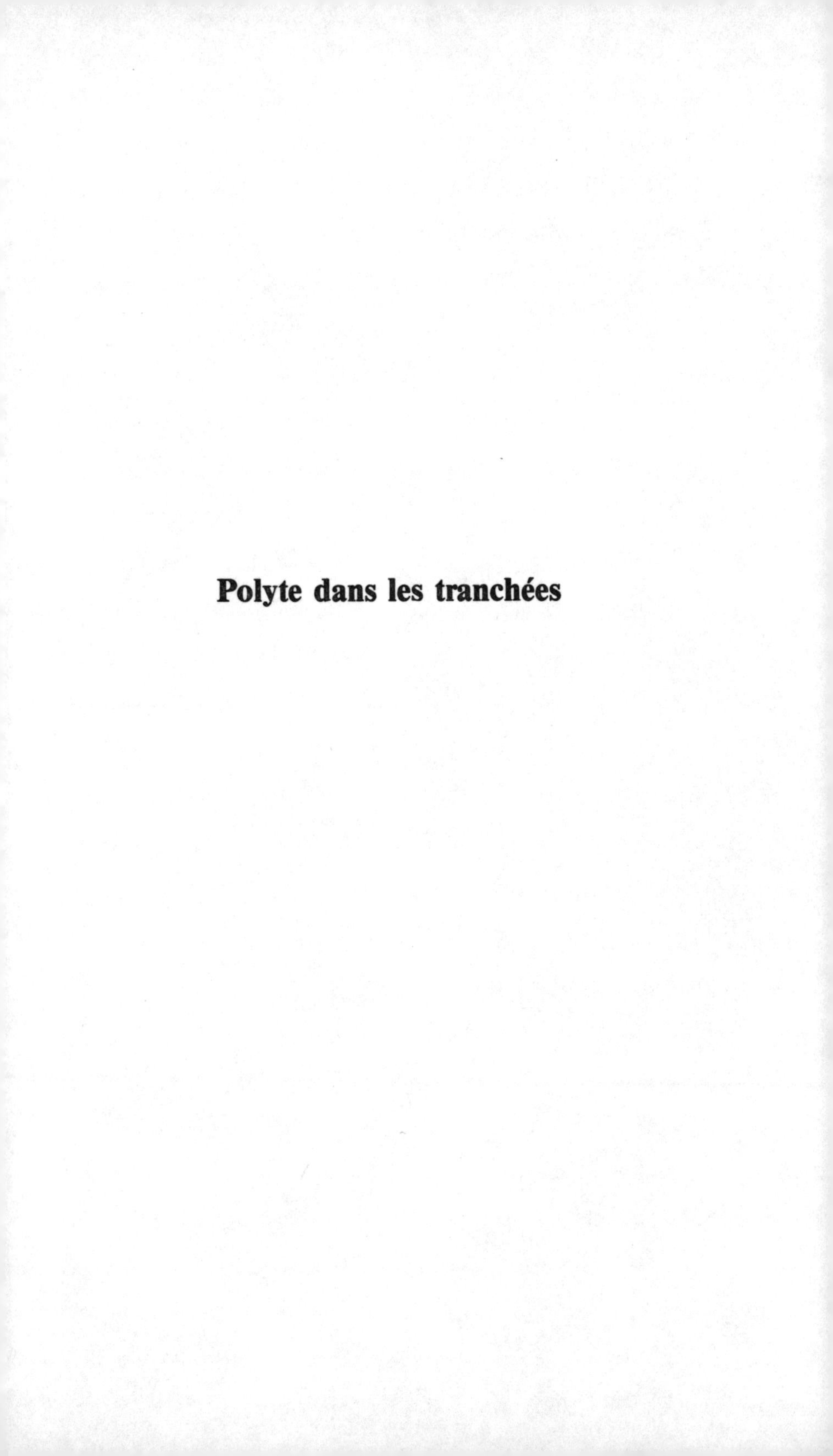

Polyte dans les tranchées

Roumy, depuis que sa femme est morte et que ses deux filles sont parties, n'est plus le même. Les filles sont « montées » à Lyon. Montées sur quoi ? Pour quoi faire ? Elles étaient jolies, elles sont parties là-bas, dans le Nord, elles n'ont plus écrit à la famille et il vaut mieux ne pas parler de ces choses. En tout cas, la femme de Roumy, Yvonne, en a dépéri et en est morte. Roumy a vendu ses vignes, la chèvre et l'écurie. Il a gardé deux champs et son jardin, le long du chemin de la chapelle, mais ne les travaille plus. C'est à peine s'il dit « Bonjour », « Bonsoir », aux gens. On le plaint. On comprend que l'histoire des deux filles et la mort d'Yvonne lui ont peut-être dérangé la cervelle. Le seul à qui il parle, c'est à Bébert, le fils — il est petit, il a autour de huit-neuf ans — du garde-barrière, parce que la grand-mère de Bébert habite la maison à côté de la sienne. Elle est tellement vieille, la grand-mère de Bébert, qu'on en a perdu le compte. Tellement vieille qu'elle parle seule toute la journée. Comme Roumy, lui, ne dit presque rien, ils ne se disputent jamais et sont très bons voisins.

— Moi, petit, j'étais de la Réserve mais j'ai quand même fait la guerre et, comme disait Clemenceau, si on l'avait préparée, on l'aurait gagnée plus tôt.

— Ah ! Clemenceau, dit la mémé.

Alors, rien que pour Bébert, Roumy devient bavard.

— Tu sais ce qu'il a dit à Foch, Clemenceau ?

— Non, dit Bébert.

— Il lui a dit : « Mon général... »

— Il n'était pas maréchal ? glapit la mémé. Joffre était maréchal.

— Je parle pas de Joffre, Marthe, je parle de Foch. Tu sais ce qu'il a dit à Foch ?

— Qui ? Foch a dit quelque chose à Joffre ? Et Poincaré alors ?

— Marthe, je parle pas de Poincaré, je parle de Clemenceau. Voilà, je ne me rappelle plus ce que je disais, maintenant. Qu'est-ce que je disais, Bébert, tu t'en souviens ?

— Vous disiez que Clemenceau avait dit quelque chose à Foch.

— Ah oui ! C'est ça. Il lui a dit : « Mon général, on gagnera la guerre avec les tranchées ! » Et il a eu raison. Il m'a serré la main, Clemenceau !

— Qu'est-ce que tu racontes, Polyte ! Clemenceau te serrer la main ! A toi !

— Oui, à moi.

— C'est ça, à toi.

Roumy s'indigne.

— A moi, en 17 ! Dans les tranchées ! Et si vous voulez que je vous dise, à tous les deux, c'est pour ça que je vais m'y mettre !

— Tu vas te mettre à quoi, Polyte ?

— Aux tranchées. Je vais en creuser, moi.

— Ça te fera de l'exercice, dit la mémé.

— Tu m'aideras, toi ?

— Oui, répond Bébert.

Après tout, ça ne dérange personne et si Roumy, maintenant, creuse des tranchées dans ses champs et son jardin, ça le regarde. Le plus fort, c'est qu'elles sont bien faites. Il met des planches, au fond, et avec une masse enfonce de grosses pierres sur les côtés.

— Tu vois, Bébert... Donne-moi cette pierre. Là. Celle qui est pointue... Tu vois, suppose qu'ils arrivent par le champ de Furet, là-bas. Notre artillerie, si elle est là, derrière le bois, elle les arrête. Et nous, après le tir de barrage, on sort et on attaque. T'as compris ?

— Oui oui.

Bébert, pas bête, sait que Roumy est à moitié timbré — son père le lui a dit — mais construire des tranchées et jouer à la guerre est amusant.

— Ça avance, les tranchées ? lui dit son père.

— On en a quatre mètres dans le champ et deux dans le jardin, Roumy a mesuré.

— Et qu'est-ce qu'il raconte, Roumy ?

— Oh ! Clemenceau, Foch, Pétain, Joffre... Il dit que tous lui ont serré la main. Tous les généraux.

— Ils ne l'ont pas embrassé, aussi ?

— Ça, non, il ne le dit pas.

— Je t'explique, Bébert.

— Tu lui expliques tout ce que tu veux, dit la mémé, mais moi je t'avertis que si la tranchée de ton jardin arrive jusqu'à mon poulailler, tu auras de mes nouvelles.

— Du calme, Marthe, du calme. Ça dépendra de l'attaque. J'explique à Bébert...

— C'est ça, explique. Tu veux du café, Polyte, en attendant l'attaque ?

— Oui, une tasse. Je t'explique, Bébert. Ils arrivent de leurs tranchées, là-bas...

— Y'en a pas, dit Bébert.

— Et tu crois, imbécile, qu'ils n'en creuseront pas ? Ils arrivent mais, nous, mitrailleuse en batterie, là, sur le bord de notre tranchée, on arrose et kaputt ! Adieu !

Il boit son café.

— Allez, maintenant, pas de temps à perdre. On y va, Bébert. Chaque pouce de terrain sera défendu.

— Tu ferais mieux de défendre ta tête, Polyte ! a dit la mémé.

Roumy raconte à Bébert, tout en lui expédiant des

pelletées de terre sur les pieds, qu'il a vu Clemenceau et Foch comme il le voit, là. Et Clemenceau toujours au garde-à-vous quand Foch parlait. Sur le front, c'était Foch le patron. Un bel homme, le général, comme le père de Bébert. Très propre. Impeccable. Des moustaches. Les guêtres tellement brillantes qu'on aurait pu s'y raser la barbe. Et il disait : « Vous voyez, Clemenceau, qu'elles avancent vos tranchées. Mais qu'est-ce qu'on en fera quand les Boches reculeront ? — On les enterrera dedans. Ça nous fera gagner du temps. »

— Et moi, Polyte, caporal Roumy Hippolyte, j'entendais tout ça et je me disais : « Ils ont de la chance que je ne sois pas espion ! » Demain, avec la brouette, j'amènerai des caisses et on mettra des planches, là, au fond.

Quand il y a eu la guerre, un an plus tard, Roumy a dit à la mémé :

— Et qui l'avait prévu ce qui arrive ?

— Toi, Polyte, toi. Tu veux du café ou une tisane ?

— Du café.

— Et qui avait dit qu'il fallait creuser des tranchées ?

— Toi, Polyte.

— Et où c'est qu'il y a, dans ce pays, des tranchées toutes prêtes ?

— Ici, Polyte.

La mémé finit sa rangée, pose son tricot et dit :

— Bon, je vais te réchauffer du café.

Quand Roumy a commencé à donner des coups de pioche dans les rues, on a essayé de le raisonner. Rien à faire. Le lendemain, il recommençait et, à la fin, le garde est allé voir les gendarmes.

— Ça peut plus durer. Il va défoncer le village.

— Tu lui as donné un procès ?

— Il s'en fout des procès. Il pioche comme un fou

et si je lui dis : « Polyte, je te flanque un procès ! » Il me répond : « Ordre de Clemenceau ! »

— Il n'écoute personne ?

— Personne ! Même la mémé, celle qui habite à côté, il ne l'écoute plus. Même Bébert...

— Qui c'est Bébert ?

— Bébert du garde-barrière, le petit. Hier, il a voulu creuser une tranchée devant la poste. Il a fallu qu'on lui enlève la pioche des mains.

— C'est une idée, ça. Y'a qu'à lui prendre sa pioche.

— Il sort, la nuit, et il en vole une autre. Ou bien, il creuse avec une pelle, avec une barre, n'importe quoi. Et maintenant, il a son fusil et il menace de tirer si on l'empêche de faire ses tranchées.

Deux hommes, habillés en blanc, avec une auto, sont arrivés de la ville. Il y avait aussi deux gendarmes. Mais Roumy les avait vus arriver et, vite, il était allé chercher le fusil et avait sauté dans la tranchée. Bébert qui, justement, était chez la mémé, a crié :

— Attention, il est dans la tranchée avec le fusil !

— Salaud ! Espion ! lui a répondu Roumy.

Il est sorti de la tranchée, il a tiré mais il avait oublié de mettre des cartouches. Les gendarmes lui ont sauté dessus et l'ont poussé vers l'auto. Quand il a vu Bébert qui pleurait, il lui a crié :

— Vive la France ! Surveille les tranchées, Bébert ! On les aura ! Surveille...

Mais, déjà, ils l'avaient jeté dans l'auto, tête la première.

Jesus

— Tu t'appelles Jesus et ton père est communiste ?

Il ne se doutait pas, Luis Camacho, quand il s'était réfugié en France, à la fin de la guerre civile, qu'il n'était pas normal qu'on soit rouge, tout à fait rouge, et qu'on ait un fils prénommé Jesus. En Espagne, il y en avait tellement, de Jesus, que personne n'y faisait attention. En France, c'était presque incroyable. Par-dessus le marché, le jeudi matin, qui n'allait pas au catéchisme ? Ripert et Camacho. Ripert, on comprenait. Son père, qui fabriquait des barriques, était aussi communiste mais, au moins, il s'appelait Philippe et pas Jesus. Et Jesus n'allait pas au catéchisme ! Aussi incroyable que si M. le Curé, en pleine messe, s'était mis à chanter *Viens, Poupoule* ! Dès le début de l'année, toute la classe, bien sûr, a commencé à se moquer de lui et à lui poser des questions. Surtout Pilou, qui avait les cheveux presque rasés et des mains grandes comme des battoirs qu'il comparait toujours à celles des autres.

— T'as vu mes mains ? Fais voir les tiennes !

On comparait, mains contre mains, et celles de Pilou étaient toujours les plus grandes. Et Pilou, qu'on avait vite appelé Pilate, n'arrêtait pas d'emmerder Camacho. De vrais interrogatoires.

— Ton père est communiste ?

— Oui.

— Pourquoi ?

— Parce qu'il est contre les riches.

— Et s'il devient riche ?

— Tu dis des conneries.
— S'il trouve un trésor en labourant une vigne ? Il le garde ou il le donne ?
— Il fait ce qu'il veut.
— Je te donne zéro. Ce que tu dis, ça vaut zéro.
— M'en fous.
— Bon ! Ton père, il ne croit pas que le bon Dieu existe. Oui ou non ?
— Il n'y croit pas.
— Bon ! Alors pourquoi tu t'appelles Jesus ?
— Parce que je m'appelle pas autrement.
— Et si on te crucifie à cause de ça ?
Le futur crucifié réfléchit en fronçant ses sourcils noirs qui le font ressembler à un petit corbeau de mauvaise humeur, et trouve une réponse dont il est très fier.
— A l'époque de Jesus, il y avait des tas de types qui s'appelaient comme lui.
— T'en sais rien.
— Si. On dit Jesus de Nazareth ; ça prouve qu'il y en avait d'autres ailleurs. Aujourd'hui, moi, je suis Jesus d'ici.
Pilate vacille sous l'argument. Merde, il n'avait pas pensé à ça ! Et lui qui s'est fait appeler Pilate pour emmerder Jesus...
— Ça va, Pierre ? dit Camacho.
Pilou n'ouvre pas la bouche mais son menton tombe et ses mains qui tenaient, à l'épaule, les courroies du cartable pendent comme deux escalopes. Enfin, il demande :
— T'es cinglé ou quoi ?
— Moi ?
— Pourquoi tu m'appelles Pierre ?
— Parce que Pierre Ponce et que Ponce Pilate.
Les filles éclatent de rire. Elles en sautillent de joie (elles n'aiment pas Pilou parce qu'il leur dit des saletés) et il y en a même une qui saute si fort qu'elle en casse la bride de son soulier. Jesus, mains dans les poches,

se balance d'un pied sur l'autre, comme un marin, en souriant d'un air un peu sournois.

— Cassignol m'a prêté un catéchisme, dit-il.

— Ah ! d'accord, tu veux devenir l'abbé Jesus maintenant ?

— Non, non...

Et Camacho secoue la tête doucement, toujours sournois.

— Je connais un type qui s'appelle Lacroix, dit Pilou, c'est un copain de mon père, il habite à Miravel. Tu vas le voir, tu le mets sur ton dos et on dira : « Jesus porte Lacroix... »

Là, les filles ont quand même été obligées de rire bien qu'elles n'aiment pas Pilou à cause de ses saletés. Jesus contre-attaque. Il a été plaqué, comme au rugby, mais il se relève, rattrape le ballon et file.

— J'ai lu le catéchisme et tu sais ce que tu faisais, Pilate, pendant qu'on crucifiait ton bon Dieu ?

— Jésus-Christ n'est pas le bon Dieu. C'est son fils.

— Et alors ? C'est comme ton père et toi, non ? Tu sais ce que tu faisais, Pilate, pendant qu'on crucifiait le fils du bon Dieu ? Tu te lavais les mains ! On crucifiait et toi tu disais : « Je m'en fous. Je m'en lave les mains. » T'es communiste.

— Moi ?

L'indignation étouffe Pilou.

— Si t'es pas communiste, pourquoi tu te laves les mains pendant qu'on me crucifie ? Ah !

Posément, il ouvre son cartable et en sort un marteau et quatre gros clous.

— Tiens !

— Qu'est-ce que tu veux que j'en foute ?

— Je t'explique.

Il se dirige de l'autre côté de la rue, ôte ses espadrilles, et, bras écartés, se plaque contre la porte en bois de la cave coopérative.

Les filles, muettes, se serrent les unes contre les autres comme les moutons quand il pleut.

— Ou bien tu te laves les mains, là, à la fontaine, ou bien tu te dégonfles pas et tu me crucifies.

Il a posé le marteau et les clous à ses pieds.

— Vas-y, Pilate.

— T'es cinglé, pauvre con.

— Ça se peut mais toi tu te dégonfles. (Il a toujours les pieds joints et les bras en croix.) Tu veux que j'enlève ma chemise et mon falzar ? Vas-y ! Je crierai pas.

Pilou frotte son crâne rasé, à cause des poux, mais ses yeux brillent de colère. Il aimerait bien crucifier ce con, mais après ? Tout le monde le saurait.

— T'es qu'un pauvre cinglé, Camacho. T'es qu'un Espagnol et ton père, le communiste, il a foutu le camp pour venir ici. T'es qu'un Espagnol, connard !

Alors, Camacho, on aurait dit un chat noir. Il a sauté sur Pilou mais pas pour le griffer comme auraient fait les filles, qui ont reculé en criant de peur mais aussi parce qu'elles étaient contentes. Il a sauté et, avant que l'autre relève le bras, il lui a fait une prise au cou et l'a cassé en deux. Les joues de Pilou sont devenues toutes rouges et il lançait des ruades et ressemblait à un cochon qu'on tire avec une corde. Mais Camacho, c'était comme si ses bras avaient été en acier. Il a traîné Pilou vers l'auge de la fontaine et, là, tout en serrant de plus en plus fort, il lui a crié :

— Vas-y ! Lave-toi les mains ou je t'étrangle !

L'autre devenait de plus en plus rouge, presque violet. Camacho a desserré un peu sa prise.

— Lave-toi les mains ou je te fous la tête dans l'eau.

On a vu alors les bras de Pilou remuer avec, au bout, ses deux grandes mains. Il les a appuyées au bord de l'auge mais, comme Jesus le secouait et, de nouveau, lui serrait le cou avec sa tenaille, il les a plongées dans l'eau et les a lavées.

La République, née dans le sang...

On l'appelle « le Roi » mais il n'est roi de rien du tout. On l'appelle comme ça parce qu'il dit qu'il est pour le Roi et contre la République. Dans le village, il est le seul royaliste. Tout le monde est pour la République, le 14 juillet, les drapeaux et le monument aux morts de la guerre de 14-18. Et pour la Liberté, l'Egalité et la Fraternité. A part le Roi, il n'y a pas de royaliste. Personne ne lui en veut parce qu'il est un bon cordonnier et aussi un peu sorcier. Il connaît les herbes, sait conjurer le feu quand on se brûle, faire disparaître les verrues et le ver solitaire, et guérir beaucoup d'autres choses. Il prévoit le temps et, quand on lui demande de venir dans une maison, le lendemain il n'y a plus ni fourmis, ni araignées, ni souris, ni cafards, ni mites dans les placards. En plus, il a un chien à qui il a donné deux noms. Il l'appelle « Capet » quand il est de bonne humeur et « Lebrun » quand il lui flanque des coups de pied. Capet parce que c'est le nom du premier roi, d'après lui, et Lebrun parce que c'est le nom du président de la République. Quand il y a les élections, il ferme sa boutique et ne sort pas de toute la journée. Il lit *le Grand Albert*. Pour le 14 juillet, de nouveau il ferme sa boutique, lit *la Vie des rois et des saints de France* et refuse de soigner les gens. On lui dirait : « Allez, viens, le Roi, viens soigner le vieux Dupont ou Durand », il répondrait : « Il n'a qu'à se peindre en bleu blanc rouge, s'il est malade. » Rien à faire. On est obligé d'attendre le lendemain. Si le vieux n'est pas mort. Mais quel cordonnier extraordinaire ! Quand il fabrique une paire sur mesure, rien de plus beau ni de plus solide. Evidemment, sur la semelle des brodequins, il dessine souvent une fleur de lys avec les pointes, mais, comme c'est joli, personne ne lui en veut. Dans son échoppe, il a accroché de petits cadres qu'il a fabriqués lui-même. Il y a là Louis XVI et Marie-Antoinette, Louis XI, XIII, XIV, XV, XVIII, et François Ier. Il a découpé les portraits dans des livres et certains sont plus grands que d'autres. Par exemple, Louis XI est à peine grand comme deux timbres. Marie-Antoinette est en couleurs et son cadre a la forme d'un cœur. Il ne parle pas beaucoup, mais, certains jours, quand les élections et le 14 juillet sont encore éloignés, il est bavard. Alors, il faut en profiter pour lui poser des questions. Martineau, le boucher, est celui qui arrive à en savoir le plus parce qu'il apporte de temps en temps des os à Capet — ou à Lebrun — et que, à cause de ça, le Roi est ami avec lui.

— Alors, le Roi, cette République, elle nous en fait voir, pas vrai ?

Martineau, rusé, gratte le Roi où ça le démange.

— Elle n'en a pas pour longtemps, crois-moi, dit l'autre en plantant ses clous ; et il frappe plus sec comme s'il tapait sur la tête de tous les députés de Paris.

— Mais alors, pourquoi on l'a eue, la République, à ton avis ?

— Parce que Louis XVI était un brave homme, un trop brave homme. Si les Suisses avaient tiré sur les voyous, elle serait foutu le camp comme un lapin, la République.

— Les Suisses ? Quels Suisses ? Ils étaient français ?

— T'as qu'à lire l'Histoire, Martineau. Un jour, Lebrun, il recoupera des têtes. Lebrun ou un autre. Ton député, il te fait des risettes mais enlève-lui son écharpe de sur le ventre et tu verras... pire qu'un tigre. La République, née dans le sang, finira dans le sang.

— Tu crois ?

Alors, le Roi répète sa phrase :

— La République, née dans le sang, finira dans le sang. Y'en a pas pour longtemps.

Il arrive que Martineau, quand il va rendre visite au cordonnier, emmène Cricri, son petit qui a neuf ans. Et Cricri écoute, bouche bée. Impressionné parce qu'on appelle ce vieux le Roi et parce qu'il est contre le 14 juillet.

— C'est un roi, papa ?

— Non, il est pour les rois, voilà tout.

— Pourquoi ?

— C'est son idée.

Cricri, alors, veut savoir pourquoi le Roi est pour les rois. « Je lui demanderai », promet son père.

— Dis, pourquoi, au fond, t'es pour les rois, pourquoi ?

— C'est trop compliqué à t'expliquer, Martineau. Il faut lire. En gros, quarante rois ont fait la France et tant qu'il y en avait on était un grand pays. Avec tes députés, fini. Ils s'engraissent sur le dos du pays. Et ils mentent pour être élus.

— Ça, c'est vrai. Je suis pas royaliste mais ça, le Roi, c'est vrai. Mais, en ce moment, qui c'est ton roi ? C'est Louis combien ?

— C'est pas un Louis. C'est un Henri.

— Ah bon !...

Ensuite, le Roi et Martineau parlent de verrues, d'insolations, de l'eczéma, des souris, des cafards...

— Toi, le Roi, tu as des trucs, hein, contre tout ça ?

— Eh oui.

— Comment tu fais ?

— Secret !

— Par exemple, comment tu fais pour savoir si on aura du beau temps ce printemps qui vient ?

— Oh ! ça, c'est facile. Tu as les lunes, des bruits, les mésanges...

— Les mésanges ?

— Oui. Mais secret !

— Tu es un peu sorcier, le Roi.

— Si tu avais lu, Martineau, tu saurais que les rois guérissaient les maladies. Ils coupaient pas le cou, ils guérissaient. Ton Lebrun, un jour, ou bien il coupera des cous, ou bien il déclarera la guerre pour saigner la France. Y'a pas de doute, Martineau. La République, née dans le sang, finira dans le sang ! Et après, on aura un roi.

Cricri a des oreilles grandes comme deux omelettes à force d'écouter le cordonnier. Les rois, ça existe. On dit le roi des animaux. On dit la reine de la fête du village. On dit heureux comme un roi. On ne dit pas le président des animaux. Cricri devient royaliste. Un jour, il l'est tout à fait et, sur la première page de son cahier de dictée, il écrit : « Vive le Roi ! » Et puis, M. Loze, l'instituteur, ramasse les cahiers et, le lendemain, il dit à Cricri :

— Alors, Martineau, tu es royaliste ?

— Oui, monsieur.

— Ha, ha ! Et pourquoi ? Est-ce que tu peux m'expliquer, à moi et à tes camarades ? Allez, on t'écoute. Pourquoi tu es royaliste ? Lève-toi.

Cricri se lève, avale sa salive, met les mains derrière son dos et dit très fort :

— Parce que la République, née dans le sang, finira dans le sang !

M. Loze a donné un grand coup de poing sur la table :

— Tu n'as pas le droit de dire ça, imbécile ! Au piquet !

Cricri va dans le coin, près du poêle, et y reste jusqu'à quatre heures et demie.

— Tu me copieras vingt fois : « La France est une république. »

A la maison, Cricri, sur une page, écrit vingt fois « La France est une république », puis, sur une autre page, il écrit trente fois : « La République, née dans le sang, finira dans le sang. » Il donnera la première page à M. Loze ; l'autre, il la gardera pour lui. Il la cachera.

Puis son père est rentré pour dîner et a dit : « Vous connaissez la nouvelle ? Ce pauvre le Roi est mort. Il a eu un transport au cerveau. » Cricri a pensé : « C'est M. Loze qui l'a tué quand il a donné son coup de poing sur la table. » Et, avant de s'endormir, ce soir, il a voulu répéter trente fois, pour venger le Roi : « La République, née dans le sang, finira dans le sang » mais, à quatorze, il s'est endormi.

Vive l'infanterie !

Il y eut une grande effervescence, à l'école, lorsque le lundi matin Dans-les-choux annonça la nouvelle : « La bande à Crabosse nous déclare la guerre. » Pourquoi on appelle Manadier « Dans-les-choux » ? Parce que, chaque fois que sa bande va se battre, il dit à ses troupes : « Vous en faites pas, ils seront dans les choux ! » Comme il répète tout le temps ça, il est forcément devenu Dans-les-choux. Il a dit :

— On leur foutra une pile terrible.

Les garçons se sont assis en cercle, comme des Indiens, les jambes croisées en tailleur. Sardine (on l'appelle comme ça parce qu'il est maigre), qui lance bien les cailloux mais n'aime pas trop se battre à coups de poing, a reniflé puis, quand il a eu avalé sa morve, a dit à Dans-les-choux :

— Combien ils sont, ceux à Crabosse ?

— Huit.

— Et nous ?

— Six.

— Huit moins six, ça fait deux.

— Et alors ? Tu te dégonfles ?

— Non, mais ça fait huit contre six. Et Crabosse il sait boxer et il est bon à la lutte.

— T'en fais pas, a répondu Dans-les-choux, Crabosse, c'est moi qui le prendrai.

On a ensuite discuté du jour de la bataille — jeudi prochain, évidemment —, du lieu, de l'armement et de la manière d'attaquer.

— Ils auront des frondes, a dit Bouffi.

(On l'appelle comme ça parce qu'il est gros et que, quand il parle trop, on lui répond : « Tu l'as dit, bouffi ! »)

— Comment tu le sais ?

— Parce qu'ils en ont fabriqué, Tisane me l'a dit, et parce qu'ils en ont volé trois, en fer, à la foire. S'ils nous crèvent un œil...

— Il t'en restera un, a dit Dans-les-choux.

— Ils ont discuté dans la cabane de Gagnoule, c'est là qu'ils se préparent.

— Bon ! a dit Dans-les-choux.

Le mardi, Manadier Joseph, tonnelier — le père de Dans-les-choux — voit son garçon envelopper ses mains dans des chiffons autour desquels il enroule soigneusement une grosse ficelle.

— Qu'est-ce que tu fais ? Tu vas taper contre des arbres ?

— Non.

— Non ? Et pourquoi tu te fous les mains comme des boudins ? A qui tu veux casser la tête ?

— A personne.

— Eh là, eh ! Tu sais à qui tu mens, en ce moment ? A ton père !

Et Manadier, qui est tonnelier et a des bras comme des tonneaux, des épaules comme la porte de sa remise et une moustache qui lui cache toute la lèvre du dessus, attrape Dans-les-choux par les épaules et le soulève de terre en le secouant. On dirait qu'il a arraché un petit arbre et qu'il le secoue pour qu'en tombent les prunes.

— A qui tu veux casser la figure, petit voyou ? Ou tu me le dis, ou je te coupe en morceaux ! J'en ai assez de te voir revenir avec l'œil au beurre noir ou la lèvre fendue. Et ta mère, tu crois que ça l'amuse de te recoudre les tabliers ? Ou tu parles ou je te coupe en morceaux !

Dans-les-choux, suspendu en l'air, remue les pieds

comme un pendu — mais comme un pendu vivant —, devient tout rouge, roule des yeux, et dit enfin, à moitié étranglé :

— A Crabosse. Il nous a déclaré la guerre.

— Ah !

Et Manadier Joseph a ouvert ses pattes et Dans-les-choux a retouché terre.

— A Crabosse, le petit d'Arthur ?

— Oui.

Ça, ça change tout. Il y a des éternités que Manadier Joseph et Crabosse Arthur ne se parlent plus. Très exactement depuis cette fin de banquet des anciens combattants où Crabosse s'est mis à parler un peu trop fort de sa guerre héroïque, des souffrances des poilus et patati, il n'en finissait pas et on aurait dit qu'il avait avalé un dictionnaire, et patata. Entendre un vantard pareil, ça faisait bouillir le sang de Manadier qui n'a jamais pu supporter les artilleurs. Le banquet terminé, ils n'étaient plus que quatre ou cinq, dans la salle du café Mireval et Fils à discuter encore avant de se dire adieu en se serrant la main, et Crabosse continuait de déconner. Alors Manadier n'a pas pu se retenir. Tant pis. C'était plus possible.

— Hé, dis, Crabosse, t'as pas été mobilisé des fois au début de 18 ?

— Oui, et après ?

— Après, t'étais pas des fois dans l'artillerie ?

— Et alors ?

— Alors t'appelles ça avoir fait la guerre ? Mobilisé même pas un an et artilleur ? Ben, merde !

— T'as à dire contre les artilleurs ? Ils t'ont fait quelque chose ?

— Justement, ils m'ont rien fait. Et j'ai rien à voir avec eux puisqu'ils ont pas fait la guerre. Enfin, si, à l'arrière...

Crabosse, fou de rage, a répliqué mais Manadier

Joseph, quatre ans de front, trois blessures, croix de guerre, médaille militaire, quatre citations, lui a demandé où il était, lui et son artillerie, en 14.

— On t'a pas vu à Poelkapelle, en 14. Ni à Beauséjour et à Perthes, en 16. Ni à Verdun en 16, ni en Argonne ou au Mort-Homme en 17... J'avais beau demander : « Où est Crabosse ? », personne t'avait vu. Et en 18, où elle était ton artillerie ? A douze kilomètres du front. Y'en a qui ont le droit de parler de la guerre et d'autres qui feraient mieux de se taire, et un point c'est tout.

— Je t'emmerde, a gueulé Crabosse.

— Moi de même.

Ils ont failli se battre mais se sont contentés de se pousser. Depuis, ils ne se parlent plus.

Et chacun chez soi. Quand ils se croisent, dans la rue, Manadier Joseph sifflote *la Madelon* et Crabosse se pince le nez comme s'il se le bouchait. Chez Mireval et Fils, quand Crabosse Arthur commande un Pernod, Manadier Joseph prend une bière et quand Manadier Joseph commande un Pernod, Crabosse Arthur prend une bière. Mireval Pierrot, le patron, est habitué.

Manadier Joseph a posé son marteau, s'est gratté la tête en relevant le béret qu'il porte tout rond — pas pincé — sur la tête, comme une calotte et a dit :

— Alors, c'est le petit d'Arthur qui vous déclare la guerre ?

— Oui, a répondu Dans-les-choux qui a compris que son père avait changé d'humeur et était brusquement intéressé.

— Ah ! Et avec quoi vous allez vous battre ? A coups de poing ? C'est pour ça que tu t'entraînes avec tes chiffons et tes ficelles ?

— Oui, mais eux, ils ont des frondes, et Crabosse est bon à la lutte mais lance bien les cailloux aussi.

— M'étonne pas. Tel père tel fils, comme dit le proverbe. Toujours l'artillerie, quoi.

— C'est ça ! Ils ont la frousse et ils nous attaqueront de loin. Mais nous, on a Sardine qui lance bien les cailloux lui aussi.

— Non ! Pas d'artillerie. J'étais fantassin, moi, et je t'interdis de te battre contre Crabosse avec des cailloux, t'entends ?

— Oui, papa.

— C'est toi le chef ?

— Oui.

— Bon, maintenant c'est moi.

— Oui, papa.

— C'est moi qui vais vous organiser ça.

— Tu vas venir te battre avec nous ?

Dans-les-choux rayonne et saute de joie.

— Non, non... Mais je vais vous organiser ça. Oh ! Oh ! Je te jure que ça va être leur fête, à Crabosse et à sa bande.

Il rit, il se frotte les mains et Manadier Raymonde arrive du lavoir en poussant la brouette chargée d'une corbeille pleine de linge mouillé.

— Qu'est-ce que vous avez à rire, vous deux ?

— On discutait, le petit et moi, dit Manadier Joseph.

— Et de quoi ?

— On discutait entre hommes.

— Ah bon ! Discutez, discutez, moi je vais étendre le linge.

— C'est quand, la bataille ?

— Jeudi.

— Où ça ?

— Du côté de Gagnoule.

— Bon. Viens dans la cuisine, on va faire le plan.

Ils sont assis, maintenant, et Manadier Joseph, après avoir roulé une cigarette, expose la tactique à suivre.

Voilà : deux heures avant la bataille, sur le coup d'une heure de l'après-midi, opération de patrouille vers la cabane.

— Et vous leur piquez les frondes. Du coup, plus d'artillerie.

— Mais Crabosse a la clef du cadenas. Son père est copain de Gagnoule.

— Vous faites péter le cadenas.

— Ils s'en apercevront quand ils arriveront. Mais y'a une fenêtre, derrière. Elle est un peu pourrie...

— Parfait, j'irai l'ouvrir le matin, en douce, sans qu'on s'en aperçoive et vous pourrez entrer et casser les frondes.

— Et après ?

— Facile. D'accord, Crabosse a une armée supérieure en nombre, mais nous utiliserons la surprise. Enfance de l'art. A la cote 198, c'est comme ça qu'on a eu les Boches. Vous restez enfermés dans la cabane. Les autres arrivent. Tout leur semble normal. Crabosse ouvre le cadenas pour distribuer les armes et mettre ses troupes en position. Donc, ils sont désarmés. Crabosse ouvre et alors, vous, vous vous mettez à crier et vous y allez à la grenade.

— A la grenade ? On n'en a pas.

— Si si ! Des petits pots de peinture rouge. Je t'en donnerai une dizaine. Vous foncez en gueulant comme des fous et en balançant les pots de peinture. Comme ça, tiens.

Manadier Joseph remplit un verre d'eau et va sur le seuil de la porte.

— Comme ça, tu vois. Tu lâches pas le pot. Tu le serres bien dans la main et tu balances la peinture. Comme ça ! Floc ! Sûr qu'ils s'affolent. Alors, vous y allez à la baïonnette.

— On n'en a pas.

— Si si ! Je vous donnerai des manches de marteau. Vous les envelopperez de chiffons parce qu'il faut pas quand même les tuer, mais ça leur fera mal. Et, en tapant, oubliez pas de gueuler comme des fous, ça leur flanquera encore plus la trouille.

Ce fut, pour Dans-les-choux et son armée, une victoire complète. Tisane, les joues, le front et la bouche balafrés de rouge et ayant reçu un gnon sur l'épaule, fut le premier à battre en retraite. Les autres suivirent. Crabosse essaya de résister mais Bouffi lui expédia un second pot de peinture pendant que Dans-les-choux lui flanquait un coup de baïonnette sur les genoux. Il tourna les talons et prit la fuite en boitillant.

Le soir de la victoire, Manadier Joseph s'est mis une chemise propre et est allé boire l'apéritif au café Mireval et Fils. Il a dit à Dans-les-choux :

— Allez, petit, viens ! Tu m'accompagnes.

— Mais pourquoi tu l'emmènes au café ? a demandé Raymonde.

— Parce que, a répondu Manadier Joseph.

Au café, il a demandé à Pierrot, le patron :

— T'as pas vu Crabosse, par hasard ?

— Non.

— Mais il passe pas chaque jour pour prendre l'apéro ?

— Si, mais il est pas venu aujourd'hui. Ça m'étonne.

— Il viendra peut-être. Les artilleurs sont toujours en retard. Allez, un Pernod pour moi et une grenadine pour le petit. Quand tu verras Crabosse, tu lui diras de ma part que le 122e d'infanterie n'a jamais reculé et le salue.

Le meilleur ami

Le sujet était : « Faites le portrait de votre meilleur ami. »

— Tu as des devoirs à faire ? demande Conil à son fils, qui s'appelle Jules. Ou Julot, si l'on veut.
— Oui, le portrait de mon meilleur ami.
— Il faut que tu dessines... ?
— Non, par écrit, dit Julot.
— Et qu'est-ce que tu attends ?
— C'est difficile. J'en ai trois et, si je dis celui qui est le meilleur, les autres seront fâchés avec moi.
— T'as qu'à en inventer un, dit Conil. Comme ça, personne ne sera jaloux.

Julot, alors, écrit que son meilleur ami est blond, avec des yeux bleus et qu'il ne sait plus où il l'a rencontré, il y a longtemps. C'est bizarre mais il l'a toujours connu et se souvient que, lorsqu'il était petit, il aimait coucher avec lui dans le même lit. Après, il a moins aimé ça mais, maintenant, il serait content de recommencer et de lui donner des coups de pied en dormant. Il se réveillerait et se mettrait à pleurer mais Julot le consolerait, à la fin, en lui caressant les cheveux. Son meilleur ami a peur de tout : des araignées, des fantômes et des souris. Sa peau est blanche, fine, mais quand on s'approche pour le regarder de près, on dirait qu'il a des millions et des millions de petites écailles et de tout petits poils comme sur une pêche. Quand Julot aura de la barbe, il frottera ses joues contre celles de son meilleur ami.

Un jour, Julot et les copains sont allés à la mer. Son meilleur ami s'est déshabillé, en se cachant, derrière un rocher au-dessus duquel il lançait ses habits. Puis il a dit : « Passe-moi mon maillot », mais Julot et les copains ne le lui ont pas passé et, comme ils avaient piqué les habits, le meilleur ami n'osait pas sortir de derrière le rocher et criait. Il a même pleuré. Il suppliait qu'on lui jette le maillot ou les habits. Il ne voulait pas qu'on le voie nu. A table, il pèle les pommes avec un couteau au lieu de croquer dedans.

C'est très difficile de jouer avec lui. Il aime faire la dînette. Il déteste qu'on lui envoie des crocs-en-jambe mais, à la marelle, on dirait un ange qui vole. Il a pitié des grillons et ne veut jamais en attraper en les obligeant à sortir du trou. On pisse dedans, mais lui ne veut pas. Pour lancer des cailloux et faire des ricochets, il est nul. Sa spécialité, c'est les fleurs et, quand on se promène avec lui, il en cueille et fait des bouquets qu'il offre à sa mère.

A Pâques, Julot lui a mis un œuf dans son lit. Pas en chocolat. Un vrai œuf qu'il a écrasé. Julot a ri mais la mère du meilleur ami lui a flanqué deux gifles. Quand il sera grand, le meilleur ami veut être coiffeur, mais il dit qu'il n'ira pas au rugby parce que ses parents se disputent quand il y a un match. Son père veut aller au rugby et sa mère non. Son meilleur ami aime les chansons de la radio. Il en connaît par cœur et il les chante. Quand il se déguise, il met le chapeau de sa mère et les souliers aussi ; mais un jour, il avait plu, la terre était molle, les souliers se sont enfoncés et, comme ils étaient trop grands pour lui, il a trébuché, il est tombé et les souliers vides sont restés enfoncés dans la boue. Il a reçu deux gifles de sa mère parce qu'il avait sali ses habits, pleins de boue, en tombant. Quand il sera coiffeur, il se mariera avec quelqu'un qui aura une auto et une roue accrochée sur le marchepied. Dans son salon de coiffure, il vendra des parfums, des peignes et de la poudre. Il dit qu'il sera le plus grand coiffeur du monde et qu'il ira en Amérique. Un jour, pour la fête, il a bu un peu de bière et a tout recraché sur la table. Son père s'est moqué de lui. Des fois, il accepte de jouer aux boules, mais il lance le cochonnet n'importe où et, si on est de son équipe, on perd tout le temps.

C'est le meilleur ami de Julot. Il l'aime beaucoup et, quand il sera coiffeur, il lui coupera les cheveux. Mais pas dans le salon. Il ira chez lui, dans sa maison. Quand ils se promènent, le meilleur ami lui donne la main mais, quand il faut sauter un ruisseau, il choisit toujours l'endroit le plus étroit parce qu'il ne sait pas sauter. De temps en temps, il donne des cadeaux à Julot. Le dernier, c'était un cache-nez bleu. « Quand il sera grand, ce sera toujours mon meilleur ami », conclut Julot.

A la fin de la classe, l'instituteur a retenu Julot par la manche. Les autres sont sortis.

— Dis-moi, j'ai lu ta composition...

« Aïe ! pense Julot, il va me mettre un quatre. »

— C'est bien, c'est bien...

— Merci, monsieur.

— C'est bien mais — je te promets de ne le répéter à personne — est-ce que tu peux me dire qui est ce meilleur ami ? Il veut être coiffeur, il met les souliers de sa mère, il se cache pour se déshabiller, il ne sait pas lancer les cailloux...

— C'est vrai, monsieur.

— Bien sûr, je te crois. Mais qui c'est ?

Julot hésite puis avoue :

— C'est ma sœur, monsieur.

L'instituteur a comme un soupir.

— Ah ! je vois, je comprends... Tu as fait comme si...

— Oui, monsieur, j'ai dit « il », pas « elle ».
— Et voilà ! Mais c'est ta sœur, hein ?
— Oui, monsieur, dans la composition c'est un garçon mais c'est ma sœur.
C'est bizarre mais on dirait que l'instituteur est un peu déçu…

L'eau est bleue

— Boucherot !
— C'est moi, m'sieur.
— Boucherot comment ?
— Auguste, m'sieur.
— Quel âge tu as ?
— Dix ans.

L'accusation est grave. Boucherot et sa bande seraient entrés, un jeudi, dans la remise de Molinier, l'épicier, auraient volé tous les sacs de bleu de lessive et puis, en se cachant, auraient jeté les boules dans les puits des deux fontaines, dans l'abreuvoir aux chevaux de la place du marché, dans le bénitier de l'église et, enfin, dans la citerne d'arrosage du jardin de la mairie. Résultat : le lendemain, tout le monde a crié : « Qu'est-ce qui arrive ? L'eau est bleue ! » Les femmes, à la fontaine, pompaient de l'eau bleue, les chevaux n'ont pas voulu boire, le jardinier de la mairie n'y comprenait rien et le curé a pris un verre, a puisé de l'eau dans le bénitier, a regardé en levant le verre et a dit : « C'est vrai, elle est bleue ! » Finalement, l'épicier s'est aperçu que la porte de sa remise avait été forcée et qu'on lui avait volé les sacs. Et quand, dans le village, on a dit que toute l'eau était bleue, il a compris et est allé voir les gendarmes. Rusés, ils ont soupçonné Boucherot qu'ils avaient déjà arrêté une fois pour barrage de rue avec des brouettes.

— Alors, c'est toi qui as volé les boules avec deux copains ?

— Non, c'est pas moi.

— On t'a vu.
— Non.
— Dis : « Non, brigadier ! » On t'a vu.
— Non, brigadier.
— Tu peux aussi m'appeler chef.
— Brigadier ou chef ?
— Chef, ça ira. Qu'est-ce que tu as fait jeudi ?
— J'ai été aux pies, chef.
— Quoi faire aux pies ?
— Trouver des œufs dans les nids.
— Chef !
— Trouver des œufs dans les nids, chef !
— Y'a pas d'œufs en ce moment.
— Je savais pas, chef.
— Bon, pense tout haut le chef, il faut que je l'attrape en lui posant d'autres questions : Où ils étaient, les nids ?
— Dans les arbres de Camurac.
— Chef, je te dis ! Y'a pas de nids, à Camurac.
— Si, chef, y'en a. Si vous voulez, je vous montrerai.
— On verra... Bon, maintenant, attention, déclare le chef, je fabrique le piège : Tu étais avec Emile et José pour voler les boules.
— Non, chef, puisque j'ai rien volé.
— José m'a tout dit.
— Non, chef, c'est pas vrai.
— Alors c'est moi qui mens ?
— Non, chef, c'est lui.
— Bon, maintenant, je vais lui faire peur, pense tout haut le chef : Tu sais combien elles valaient les boules que tu as volées ? Vingt francs en tout.
— Je les ai pas volées puisque j'étais aux nids, chef.
— Si tu me dis que c'est toi avec Emile et José, je te fais rien. J'arrête les autres mais pas toi.
— C'est pas moi et c'est pas eux, chef.
— Sinon, allez ! la prison. Et tu seras la honte de la

famille. Mais si tu me racontes tout, je parle à ton père et ni vu ni connu.

— Il faut pas parler à mon père, chef.

— Si si, je lui parlerai. Où est mon képi ? J'y vais.

Auguste ne bouge pas. Le chef s'est levé. Auguste ne dit rien.

— Tu as vu ? J'ai pris mon képi et je vais voir ton paternel. Tu dis rien ? Merde alors ! Si tu dis rien, c'est foutu.

— Qu'est-ce que tu veux que je te dise ?

Rouquet réfléchit.

— Tu me dis : « Allez-y, chef, j'ai rien fait ! » Et tu mets ton béret, quand je mets mon képi, comme pour m'accompagner.

— D'accord, on recommence.

— Puisque c'est comme ça, je vais voir ton père.

— Mon père, il vous dira « Merde ! », chef. Il vous croira pas. Je peux dire ça ?

— Non, dit Rouquet. « Allez-y chef, j'ai rien fait ! », c'est mieux.

Rouquet a mis son béret en arrière, comme toujours, et a dit :

— Ça va.

— Mais si c'est toi que les gendarmes arrêtent ?

— Si c'est moi, je répondrai comme toi, t'as pas compris ?

— Et si je faisais le chef, maintenant, moi, pour voir si tu réponds pareil ?

— Pas la peine. On s'est entraîné et ça va. Maintenant, on va voir s'il y a des nids, à Camurac, pour que ce soit la bonne réponse, t'as compris ?

— Et s'il n'y en a pas ?

— Oh ! que t'es con, Auguste, que t'es con ! S'il n'y en a pas à Camurac, on ira repérer où il y en a. T'as compris ?

— Oui, d'accord, Emile.

Ils sont allés à Camurac et il y avait des nids. Puis, le lendemain, le jeudi, ils ont volé les boules et les ont jetées, en se cachant, dans le bénitier, l'abreuvoir, les deux fontaines et la citerne du jardin de la mairie. « L'eau est bleue ! » a crié tout le village.

Les mimosas

Riton est toujours premier en dessin. Sa spécialité, c'est les fleurs, et, quand il en dessine et qu'il les peint — son père, à la fin, lui a acheté une boîte de peinture —, on jurerait qu'elles sont vraies. Qu'elles sentent bon. Qu'on peut les toucher. Il peint des roses, des violettes, des tulipes, des marguerites, des bouquets où il les mélange toutes. Tous les voisins, toutes les voisines félicitent sa mère, Mme Simon, et lui disent qu'elle a de la chance d'avoir un fils pareil, un artiste. Il gagnera sa vie, avec ça. A l'école, M. l'Instituteur avait organisé une exposition de dessins de la classe. Il a dit à Mme Simon :

— N'en dites rien, mais c'est à cause de votre fils que j'ai fait ça. Pour qu'on voie ses peintures. Mais si je n'avais montré que les siennes, il y aurait eu des jaloux.

Il y en a eu quand même parce que tout le monde s'est arrêté devant les fleurs de Riton. Trois ou quatre personnes ont même demandé si on pouvait en acheter. Pichet, le jardinier, qui vend aussi des chrysanthèmes à la Toussaint et des mimosas au printemps, a affirmé : « Si j'en avais d'aussi jolies, je ferais fortune. » Dans le village, on a répété cette phrase. « Tu sais ce qu'a dit Pichet, en voyant les fleurs du petit Simon ? "Si j'en avais d'aussi jolies, je ferais fortune." Il a dit ça à l'exposition... »

Un brave homme, Pichet, mais il vit comme un ours. Il ne parle presque pas. Il vous reçoit en grognant mais ses tomates sont les meilleures, ses choux gros comme des citrouilles et, sur dix melons qu'il vend, neuf sont sucrés. C'est pour ça qu'on lui en vole, la nuit. Quand il s'en aperçoit, il entre dans des colères à faire trembler les carreaux de ses deux serres où il repique la salade.

Cette année, les mimosas ont gelé. Catastrophe pour Pichet. « Regardez-moi cette pitié ! Ils sont tout noirs. Je n'aurai pas une fleur, cette saison... Cet arbre-là qui était le plus beau, rien ! Gelé comme les autres ! »

Mireille regardait Riton dessiner et, justement, c'étaient des mimosas. C'est vraiment la copine de Riton, Mireille. Elle passe des heures à le regarder dessiner en tortillant, avec deux doigts, une mèche de cheveux. Ce jour-là, elle a une idée.

— Tu pourrais dessiner vingt bouquets de mimosas ?

— Trente si tu veux. C'est facile, y'a que du jaune.

— Alors, on pourrait s'amuser.

Elle explique son idée.

— Ah oui ! C'est formidable ! s'exclame Riton.

Et, pendant huit jours, il ne dessine que des mimosas, dans sa chambre. Quand sa mère entre, il met vite une feuille avec des roses sur son dessin pour qu'elle ne sache pas qu'il ne dessine que des mimosas et ne lui pose pas de questions. D'ailleurs, il a juré le secret à Mireille.

— Oui, mais comment on fera ? On nous verra.

— On ira la nuit, dit Mireille.

— La nuit ?

— Oui, tu sautes par la fenêtre avec les dessins. Tu viens derrière ma maison. Moi aussi, j'aurai sauté par la fenêtre et je t'attendrai.

— Ça y est, Mimi, j'ai les trente dessins ! Regarde !

Elle admire. Tous ces mimosas, sur les trente feuilles !

— On y va cette nuit ?

— Si tu veux.

Heureusement, il n'y avait pas beaucoup de lune et personne ne les a vus. Les rues étaient désertes et tout le monde dormait. Ils ont couru jusqu'au jardin de Pichet, à la sortie du village, et, là, ce qu'ils ont fait est facile à deviner. Avec des épingles à linge, ils ont accroché les trente dessins aux branches du grand mimosa. Riton faisait la courte échelle à Mireille.

— Quand il va voir ça, Pichet !

— Il va dire qu'on se fiche de lui.

— Il saura que c'est toi.

— Peut-être il sera content.

Boum ! Quel bruit ! Mais Pichet était tellement en colère contre les voleurs que sa main tremblait quand il a tiré sur ces ombres qui couraient, là-bas, et qu'il les a ratées.

— Merde de merde ! La prochaine fois, je dors dans la serre et je leur mets du plomb plein le cul !

Il est rentré se coucher mais, sur la porte, il a tiré un second coup de fusil en l'air. Avertissement !

— Vite, vite ! Il nous a tiré dessus !

— Accompagne-moi à la maison, a supplié Mireille.

— Mais non, il ne nous poursuit pas.

Ils ont de nouveau sauté par la fenêtre, pour rentrer, et se sont couchés en tremblant un peu. Le lendemain, Pichet se lève, descend au jardin, tourne à gauche, et qu'est-ce qu'il voit ? le grand mimosa tout jaune ! Il met ses lunettes rondes puis il s'approche.

— Alors, ça ! C'est le petit Simon qui m'a fait ce coup ! C'était pas un voleur...

Il décroche les dessins, un par un.

Le samedi suivant, c'est jour de marché. Pichet a amené des choux, des carottes, des navets, des salades sur sa brouette. Il installe ses corbeilles puis sort une ardoise sur laquelle il a écrit : « Mimosas ! » et, tranquillement, sur un vieux drap de lit, il aligne les dessins. Evidemment, tout le monde se rassemble devant les corbeilles de Pichet et devant les dessins.

— Mais c'est le petit Simon qui a fait ça, Pichet ! Il te les a donnés pour les vendre ? Combien tu en veux ?

— Vingt sous pièce.

Il les a tous vendus.

— Riton, demande Mme Simon, c'est toi qui as donné tous ces dessins à Pichet ?

— Oui, c'est moi.

Il ne parle pas du coup de fusil.

— Et tu es allé les lui donner comment ?

— Je les ai accrochés dans l'arbre sans qu'il me voie.

— Tout seul ?

— Avec Mireille. On a fait ça ensemble.

— Et pourquoi tu as eu cette idée ?

— Parce que les mimosas étaient gelés, qu'il n'y en avait plus et que Pichet était malheureux.

Mme Simon embrasse Riton. Quel bon petit cœur il a, cet enfant ! Mais ce Pichet, pour se faire de l'argent, il faut dire aussi qu'il a eu une idée extraordinaire. Quel culot ! Vendre les dessins de Riton au marché ! Quel avare, ce Pichet !

L’ange gardien

— Tu sais, a dit l'instituteur, à cet âge, tous les petits sont un peu fous. Toi aussi, Justin, je m'en souviens, tu l'étais un peu.

— Oui, mais mon Riton l'est davantage. Pas un peu. Beaucoup.

— Et qu'est-ce qu'il a encore fait ?

Justin raconte : le petit, depuis qu'il va au catéchisme...

— Ah, évidemment, si tu l'envoies au catéchisme !

— Il faut bien qu'il fasse sa première communion.

— Il faut bien ! Il faut bien ! Et pourquoi ?

— Parce que là, alors, vous entendriez sa mère, sa mémé, ses tantes, toutes les femmes, quoi !

— C'est pas toi qui commandes à la maison ?

— Si, mais question communion on a toujours fait ça dans la famille.

— Toi, Justin, un communiste ?

— Mais ça date d'avant les communistes, ça date de toujours, d'une époque où il n'y avait pas des communistes, vous comprenez ?

L'instituteur soupire. Quelle époque ! Les communistes qui envoient les petits faire la communion ! Justin, perfide, lui demande :

— Vous ne l'avez pas faite, vous, monsieur Palut, la communion ?

La réponse est fière.

— Non ! Mon père était radical et s'est toujours battu contre les curés. Bien ! Et maintenant, revenons-en au petit. Il est fou, tu dis ? Et ça se passe comment ?

Ça se passe que Riton s'est mis dans la tête qu'il a un ange gardien qui ne le quitte pas d'une semelle. Et ça lui donne des idées incroyables : l'autre nuit, il a couché par terre parce que le lit était trop petit pour qu'ils y couchent à deux. Il a laissé sa place à l'ange. A table, il met un verre et une assiette pour son copain. Sur sa petite bicyclette, l'autre jour...

— Je le vois fixer un porte-bagages, je lui dis : « Pourquoi tu fais ça puisque tu portes le cartable sur ton dos ? » Il me répond : « C'est pour l'ange », et il demande à sa mère de lui prêter un coussin. Quand il entre dans la maison, il écarte le rideau de perles et il dit : « Passe... Allez, entre ! »

— Et sa mère et toi vous ne lui avez pas dit qu'il était timbré ?

— Moi, si. Mais sa mère, au contraire, est bien contente. Elle lui dit que l'ange aime les salsifis et, hop ! lui qui n'en mangeait jamais les avale tout crus. Elle lui dit que l'ange et lui doivent se laver les pieds et, hop ! il va chercher la grande bassine.

— Ça lui passera.

— Oui, oui peut-être mais, en attendant, c'est grave. Supposons qu'il monte sur le toit de la grange et, sous prétexte que les anges volent, qu'il saute dans la cour en remuant les bras. Il se tue. Ça donne des soucis à Justin.

— Ecoute, tu sais que je ne l'aime pas beaucoup mais tu devrais en parler au curé. Il raisonnerait le petit.

— Mais comment vous voulez qu'il le raisonne puisque c'est lui qui lui a mis ça dans le crâne ! Il y croit, le curé, aux anges. C'est comme si je vous disais que la table de multiplication n'existe pas. Et pour le curé, les anges c'est la table de multiplication. Il y croit comme ça !

Et Justin, de ses dures phalanges, frappe deux fois sur la table.

— Qu'est-ce qu'on peut faire, monsieur Palut ? Vous n'auriez pas une idée ?

L'instituteur réfléchit puis dit : « Si, j'en ai une... » Il se lève, fouille dans un tiroir pendant deux ou trois minutes et en sort enfin une belle feuille de papier doré dont on se sert, parfois, pour faire des couvertures de livres. Il s'assied, prend un porte-plume et, en traçant bien les pleins et les déliés, en s'appliquant, il écrit. Justin ne comprend pas mais M. Palut écrit. Il a presque terminé. Il lève la tête.

— Comment il s'appelle son ange ?

— Il a pas de nom. Il l'appelle « Mon ange », c'est tout.

— Parfait !

M. Palut souffle sur le papier pour sécher l'encre, relit ce qu'il vient d'écrire puis explique à Justin :

— Voilà ! Tu mettras cette lettre sur le lit du petit, cette nuit, quand il dormira, pour qu'il la trouve quand il se réveillera. Je vais te la lire.

— Oui...

— Voilà, je te la lis : « Mon petit Riton, je suis obligé de remonter au Ciel jusqu'à Noël. Je suis parti cette nuit, mais, ne t'en fais pas, je reviendrai l'année prochaine. En attendant travaille en classe et amuse-toi bien. Ne dis surtout à personne que je suis parti. C'est un grand secret entre nous. Et ne t'en fais pas, je te préviendrai de mon retour. Ne montre cette lettre à personne et surtout pas à M. le Curé qui serait jaloux parce que je t'ai écrit. Brûle cette lettre dans la cuisinière quand tu l'auras lue. Je t'embrasse. Signé : Ton ange. » Qu'est-ce que tu en penses, Justin ?

— C'est formidable. C'est une idée formidable.

Le lendemain, justement, maman a fait un ragoût aux salsifis qui fume quand elle pose le plat sur la table.

— Je veux pas des salsifis, dit Riton.

Maman lève les sourcils.

— Tu n'aimes pas ? Ça, c'est une nouvelle ! Et ton ange ?

— Je veux pas des salsifis !

Maman se résigne et Riton ne mange que la viande du ragoût. Après le dîner, Justin voit Riton qui démonte le porte-bagages de la bicyclette. Il s'approche.

— Tu enlèves le porte-bagages ?

— Oui.

Justin se racle la gorge.

— Et... l'ange ? Où il s'assiéra ?

Avec le pouce, Riton désigne le ciel.

— Là-haut !

— Ah bon, je vois.

Maintenant, Riton démonte le garde-boue, puis le guidon dont il abaisse les poignées.

— Mais pourquoi tu trafiques ta bicyclette ? Ah ! c'est ça, j'ai compris, tu en fais un vélo de course ?

— Oui, comme celui d'Antonin Magne. Demain, on fait la course avec Minus, Gégé et La Bosse et, moi, je serai Antonin Magne.

— Sans porte-bagages ? Oui, c'est vrai qu'on n'a jamais vu un coureur avoir un vélo avec un porte-bagages. Ça te donne une chance de gagner la course.

— Oui. Antonin Magne gagne toujours.

Justin aide Riton à visser le gros boulon du guidon et pense : « Ça, M. Palut, il a eu une idée extraordinaire. L'ange ? Pffuit ! Envolé ! L'instruction, pour donner des idées, c'est quelque chose ! »

Boulon vissé, Justin relève la tête et aperçoit un pigeon blanc posé sur le mur du jardin. Il n'a pas l'air content et l'on dirait qu'il roucoule de colère. Mais Justin frappe dans ses mains, trois fois, et à la fin il s'envole. Comme un ange.

Mimi va à la pêche

Mimi va à la pêche. Il n'attrape jamais de poisson mais il a une vraie ligne, de vrais asticots et une vraie « garbuste ». Dans le village, quand il passe, sa canne sur l'épaule, tout le monde sait que Mimi Janicot va à la pêche. Quand il revient de la rivière, on voit des feuilles de vigne qui débordent de la garbuste et on croit qu'il a attrapé des poissons.

— Mimi, pourquoi tu ne vas pas t'amuser avec des copains ? lui dit sa mère.

— Je préfère aller à la pêche.

— Mais, dit prudemment sa mère, tu n'attrapes pas souvent de poissons.

Mimi ne répond pas. Il ne rit pas souvent, Mimi, et ne parle pas beaucoup. En classe, très bon élève, appliqué et sage. A la récréation, il joue aux barres mais, le jeudi, il va à la pêche et ses copains sont impressionnés quand ils le voient, au bord de la rivière, assis sur sa garbuste.

— Ça pique, Mimi ?

Il regarde le bouchon rouge qui flotte et qui file.

— Des fois oui, des fois non.

— Et aujourd'hui ?

— Il fait trop chaud et ils sont au fond. Ça viendra.

Il sort la ligne, vérifie que l'asticot est bien accroché à l'hameçon, fait siffler la canne et le bouchon va se poser, loin, et flotte et file, emporté par le courant doux. Mimi, lentement, tire et le bouchon glisse sur l'eau.

A la fin, les copains en ont assez de regarder ça et

s'en vont. Mimi continue de pêcher. A cinq heures, il rentre à la maison et fait ses devoirs d'écriture et de calcul. Il dessine des cartes de géographie, des fleuves et leurs affluents. Il apprend la leçon d'histoire. Pour la récitation, il s'enferme dans le cagibi où sa mère range les seaux, les balais, la lessiveuse et des chaises trouées. Là, il s'assied sur le vieux fourneau, qui ne sert plus à rien depuis qu'on a acheté la cuisinière émaillée, mais qu'on garde, et là, dans le noir et par-dessus le marché les yeux fermés, il apprend sa récitation. La Fontaine, Victor Hugo ou *le Cygne* de Sully Prudhomme. En général, les récitations sont en vers.

Avant Noël, son père, qui travaille à Tuileries et carrelages Lunel et Fils, lui a dit :

— Je vais en ville, demain, pour livrer des carreaux. Qu'est-ce que tu veux que je t'achète pour Noël ? J'ai pensé à un sac de scout, moi.

— Je préfère un livre sur la pêche.

— Bon, j'irai chez Cardinal, il doit en avoir.

Le soir, le père est rentré.

— J'ai pas trouvé de livre intéressant sur la pêche. Il y en avait sur la ponte et un autre sur les baleines. Comme tu pêches pas la baleine, j'ai préféré t'acheter ça.

Un moulinet ! Brillant. Avec sa manivelle. Neuf. Dans une boîte.

— T'es content ?

— C'est un moulinet ?

— Tu vois bien ! Si avec ça tu n'attrapes pas de poisson pour nourrir la famille !

Mimi était plus que content. Heureux comme il ne l'avait jamais été. Il a dormi avec le moulinet posé sur la table de nuit et, le lendemain, c'était jeudi, il l'a monté sur sa canne et est allé à la pêche. Au début, il s'est un peu embrouillé avec le fil et la manivelle puis, ça va, il a compris.

— Dis donc, t'as un moulinet ? lui a dit Bécou qui passait par là.

— Oui.

— Fais voir comment ça marche.

— Non, je te montre.

Il lance, il laisse filer, le bouchon se pose, il tourne doucement la manivelle qui fait « criiic, criiic... »

— Et ça pique mieux avec le moulinet ?

— Forcément.

Bécou a attendu mais, comme il faisait froid, il est parti. Le garde connaît Mimi et le laisse pêcher, même quand la pêche est fermée, puisqu'il n'attrape rien.

Et Mimi lance sa ligne dans la rivière, chaque jeudi, mais on dirait que les poissons se laissent attraper par tout le monde, sauf par Mimi.

Et, l'autre jour, au mois de juin, il revient de la pêche et rencontre le vieux Romulus qu'on appelle « l'Oncle ». Il n'est l'oncle de personne et s'appelle Romulet. Alors pourquoi l'Oncle ? Romulet-Romulus, on comprend. L'Oncle, ça doit être parce qu'il l'a été de quelqu'un qui est mort à la guerre, il y a longtemps. C'est un pêcheur extraordinaire et il a ses coins secrets. Il se retourne, quand il va à la rivière, pour qu'on ne les reconnaisse pas. Pour les champignons, il fait pareil. Impossible de savoir où il les trouve.

— Alors, Mimi, tu reviens de la pêche ?

— Oui, l'Oncle.

— Et tu as pris quelque chose ?

Difficile de mentir à l'Oncle.

— Non, pas aujourd'hui. Et vous, oui ?

— Oh ! des bricoles. Tu veux voir ? Voilà... Quelques goujons, des ablettes...

La garbuste de l'Oncle est pleine de poissons ! Luisants. Ça sent bon. Mimi respire très fort.

— Allez, à bientôt, Mimi. Dis bonjour à ton père.

Mimi dit : « Oui », va tourner dans la rue de la mairie, mais l'Oncle lui crie :

— Ho, Mimi ! Reviens !

Il obéit. L'Oncle lui dit :

— Tiens, ouvre ta garbuste.

Il ouvre la sienne et en verse plus de la moitié dans celle de Mimi.

— Je te les donne et tu le dis à personne. De toute façon, la Romulus, elle en jette les trois quarts aux chats.

Ebloui, Mimi regarde les poissons qui brillent couler dans sa garbuste. Qu'est-ce qu'on va dire à la maison ? Merde alors ! Papa va dire : « Tu vois que ça marche, maintenant, avec le moulinet ! » Mimi est rentré tard à la maison parce qu'il a voulu faire le tour du village pour rencontrer des copains de l'école. En passant devant le bazar Quincaillerie et outils agricoles Vigerie et Fils, il est tombé pile sur Bécou, Legros et Barrabas qui jouaient au foot dans la rue.

— Ah ! il revient de la pêche. Ça a piqué ?

Ils rigolent et continuent de jouer au foot avec un ballon crevé, mais Mimi, au lieu de passer sans rien répondre, s'est arrêté.

— T'as attrapé des requins ?

— Moi ? Non, à autre chose.

Comme Mimi a soulevé le couvercle, Barrabas, Bécou et Legros ont dit : « Merde alors ! C'est vrai ! » Mais, déjà, Mimi avait rabattu le couvercle.

— Des fois, ça pique.

Et il a dit :

— Allez, adieu !

— Merde, alors ! a répété Legros.

Sur le pas de la porte, Mimi a dit :

— Donne-moi une grande assiette, maman.

— Pour quoi faire ?

— Tu vas voir, cette fois.

— Tu as attrapé un poisson ?

— Tu vas voir !

Il a renversé la garbuste dans la grande assiette mais il y avait tellement de poissons que beaucoup sont tombés sur la toile cirée. Il y en a même un qui a filé comme un lézard, sur la table, et est tombé par terre.

— Voilà !

— Mais comment tu as fait, Mimi ?

— J'ai appâté avec de la croûte de pain. Ça marche.

— On va laisser l'assiette sur la table. Tu verras la tête de ton père quand il rentrera.

Et quand le père est rentré, à sept heures, il a dit :

— D'où viennent ces poissons ?

— C'est lui, a dit maman, toute fière.

— C'est toi ? Tu as attrapé tout ça ?

— Oui, a dit maman, c'est lui.

— Ça alors ? Et comment tu as fait ?

— Avec de la croûte, a dit maman. Il a appâté avec de la croûte de pain. Je les fais ce soir ou demain ?

— Ce soir, a dit Mimi, on les mange ce soir !

Et maintenant, Mimi attrape des poissons. Enfin, si on veut. Il se débrouille pour rencontrer comme par hasard l'Oncle quand le vieux revient de la pêche.

— Hé ! Psssst ! Mimi ! lui dit l'Oncle, et il lui donne des poissons.

Son père dit :

— A la pêche, le petit est un as.

— L'Oncle est mort cette nuit. Il a eu une attaque.

— Le pauvre ! Enfin, c'est une belle mort, a dit maman.

— L'Oncle est mort ? a crié Mimi qui est devenu tout pâle. Il est mort ?

Mimi tremble.

— Eh oui. C'est dommage. Mais qu'est-ce que tu as ? On dirait que le ciel te tombe dessus. Ah oui ! J'ai compris. C'est parce que c'était un grand pêcheur comme toi, pas vrai ?

— Oui, dit Mimi, mais il a comme une grosse brique dans l'estomac.

Et le jeudi suivant, il est allé à la pêche. Bien sûr, il n'a rien attrapé. Et les autres jeudis non plus.

— Ça pique plus ? a demandé papa.

Et un jeudi, au mois de juillet, Mimi est allé à la pêche. Evidemment, ça ne piquait pas. Alors, il a rempli sa garbuste, la grande, celle que lui avait achetée son père, quand il avait vu que Mimi attrapait des poissons, avant la mort de l'Oncle, et il l'a remplie de grosses pierres. Il en a mis aussi dans ses poches et dans sa chemise. Ça pesait. Il a attaché la garbuste autour de son cou, bien nouée, et il a sauté dans l'eau.

Table des matières

Cet ouvrage a été réalisé sur
Système Cameron
par la SOCIÉTÉ NOUVELLE FIRMIN-DIDOT
Mesnil-sur-l'Estrée
pour le compte des Éditions Belfond
le 4 janvier 1988

Imprimé en France
Dépôt légal : décembre 1987
N° d'édition : 2126
N° d'impression : 8417